SPANISH
COURSE

NUEVO
ESPAÑOL
EN MARCHA

SPANISH COURSE

NUEVO
ESPAÑOL EN MARCHA

STUDENT'S BOOK

Francisca Castro Viúdez
Pilar Díaz Ballesteros
Ignacio Rodero Díez
Carmen Sardinero Francos

Español Lengua Extranjera

SGEL

About *Nuevo Español en Marcha*

NUEVO ESPAÑOL EN MARCHA is a four-level Spanish course which covers the contents of levels A1, A2, B1 and B2 of the *Common European Framework of Reference for Languages*. There is also an edition with levels A1 and A2 in a single volume, entitled *Nuevo Español en marcha Básico*. After completing this first volume, students will be capable of basic but correct communication in the past (*pretérito indefinido*), present and future (*voy a* + infinitive) and will know approximately 1,000 basic words. They will also be able to give basic information about themselves and others and function in a variety of practical situations.

1 Title page
Presents the contents of the unit.

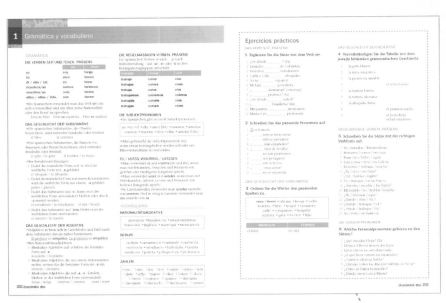

5 Annexes
- Pairwork activities
- Grammar, vocabulary and practice exercises.
- Regular and irregular verbs.
- Transcriptions.

4 Self-assessment
Activities designed for revision and consolidation of the objectives of the unit, with a test which the student can use to evaluate his or her progress according to the descriptors of the *European Language Portfolio*.

2 Sections A, B and C

The language content outlined at the start of each section is presented, developed and practised. Each section follows a carefully graduated order from the presentation of sample language to a final production exercise. Throughout the unit, the student will be able to practise the four skills (reading, listening, writing and speaking) and also work in depth on grammar, vocabulary and pronunciation using a series of tasks ranging from strictly controlled to free.

3 Section D – Communication and culture

The object here is to develop the student's communication skills and also his or her sociocultural and intercultural competences. Activities are grouped by skills: reading, listening, writing and speaking.

Contenidos

TEMA	A	B	C	D	PÁG.
Unidad 6 El barrio	**¿Cómo se va a Goya?** • Buying a metro ticket. • Instructions on using the metro.	**Cierra la ventana, por favor** • Irregular affirmative imperatives. • Giving instructions. • Asking favours: ¿Puede(s)+ infinitive?	**Mi barrio es tranquilo** • Discovering the neighbourhood where we live. • Ser and estar. **Pronunciación y ortografía:** /r/ and /rr/.	**Comunicación y cultura** • Spanish cities.	65
Unidad 7 Salir con los amigos	**¿Dónde quedamos?** • Arranging a meeting over the phone. • Arranging to meet someone. • Accepting or rejecting an invitation. • Leaving a message.	**¿Qué estás haciendo?** • Talking about things that are happening: Estar + gerund (+ reflexive pronouns). **Pronunciación y ortografía:** intonation in exclamations.	**¿Cómo es?** • Physical and character descriptions.	**Comunicación y cultura** • Young Spanish and Spanish-American people and their free time.	75
Unidad 8 De vacaciones	**Por favor, ¿para ir a la catedral?** • Asking for and giving directions. • City vocabulary: chemist's, post office...	**¿Qué hizo Rosa ayer?** • Pretérito indefinido of regular verbs. • Pretérito indefinido of irregular verbs: ir, ser, estar. **Pronunciación y ortografía:** stress.	**¿Qué tiempo hace hoy?** • Talking about the weather. • Months and seasons of the year.	**Comunicación y cultura** • On holiday in Spain.	85
Unidad 9 Compras	**¿Cuánto cuestan estos zapatos?** • Language for going shopping. • Direct object personal pronouns.	**Mi novio lleva corbata** • Colours. • Describing clothes. • Agreement of nouns and adjectives of colour. **Pronunciación y ortografía:** /x/ and /g/.	**Buenos Aires es más grande que Toledo** • Making comparisons. • Adjectives for describing cities. • Demonstrative adjectives and pronouns.	**Comunicación y cultura** • Cities and Spanish and Spanish-American art.	95
Unidad 10 Salud y enfermedad	**La salud** • Parts of the body. • Talking about illness and remedies. • The verb doler. • Suggestions: ¿Por qué no...?	**Antes salíamos con los amigos** • Talking about past habits. • Pretérito imperfecto of regular verbs. • Pretérito imperfecto of irregular verbs: ir, ser, ver.	**Voy a trabajar en un hotel** • Expressing plans and intentions: ir a + infinitive. **Pronunciación y ortografía:** Rules for written accents.	**Comunicación y cultura** • The Inca Empire. • Writing a blog on a journey.	105

¡Hola! Me llamo Maribel

2 Practise with your classmates.

- ¡Hola!
- ¡Hola!
- ¿Cómo te llamas?
- Me llamo _____.
- ¿De dónde eres?
- Soy (de) _____.

1 🔊1 **Read and listen.**

Profesora: ¡Hola! Me llamo Maribel y soy la profesora de español. Vamos a presentarnos. A ver, empieza tú, ¿cómo te llamas?
Estudiante 1: Me llamo Marcelo.
Profesora: ¿De dónde eres, Marcelo?
Estudiante 1: Soy brasileño, de Porto Alegre.
Estudiante 2: Yo me llamo Isabelle y soy francesa.

3 Complete the table.

COUNTRY	NATIONALITY	
	masculine	feminine
1 Alemania	alemán	
2 España		española
3 Brasil	brasileño	
4 Francia		francesa
5 Italia	italiano	

Greetings

4 🔊2 Listen and repeat.

VOWELS					
A	E	I	O	U	
a	e	i	o	u	

CONSONANTS				
capital letter	**small letter**	**name**	**sound**	**examples**
B	b	be	/b/	abuelo, bien
C	c	ce	c + a, o, u = /k/ c + e, i = /θ/	casa, cosa, cuatro cerrado, cine
D	d	de	/d/	día, dos
F	f	efe	/f/	fumar
G	g	ge	g + a, o, u = /g/ gu + e, i= /g/ g + e, i = /x/	gato, pago, agua guerrero, guitarra genio, giro
H	h	hache	–	hotel, hospital
J	j	jota	/x/	jefe, jirafa
K	k	ka	/k/	kilogramo
L	l	ele	/l/	león, limón
M	m	eme	/m/	Madrid, mira
N	n	ene	/n/	nada, no
Ñ	ñ	eñe	/ɲ/	niña, año
P	p	pe	/p/	pan, pera
Q	q	cu	qu + e, i = /k/	quince, queso
R	r	erre	/r/ /rr/	pera, Corea, rosa, ramo, arroz
S	s	ese	/s/	casa, sol, paseo
T	t	te	/t/	tomate, tú
V	v	uve	/b/	vaca, ven, vino
W	w	uve doble (doble u)	/u/ o /gu/ /b/	William wolframio
X	x	equis	/ks/	examen, éxito
Y	y	i griega (ye)	/i/ /ȷ/	(Juan) y (Luis) yogur, yo
Z	z	zeta	z + a, o, u = /θ/	zapato, cazo, azul

Groups of letters

CH	ch	(che)	/tʃ/	chocolate
LL	ll	(elle)	/ʎ/	llave, camello, lluvia

5  **Listen.**

ca	casa	**ga**	gato	**za**	zapato	**ja**	jamón
que	queso	**gue**	guerra	**ce**	cerrado	**je / ge**	jefe / genio
qui	quiero	**gui**	guitarra	**ci**	cine	**ji / gi**	jirafa / gitano
co	color	**go**	agosto	**zo**	zoo	**jo**	jota
cu	cuatro	**gu**	agua	**zu**	azul	**ju**	julio

6 **Read these words aloud.**

región	paz	quien
gente	chocolate	catorce
joven	ácido	pequeño
ejemplo	cereza	guitarra

¿Con B o con V?
(En Latinoamérica: *b = be larga*; *v = be corta*)
Valencia, Bilbao, Isabel, Vicente.

¿Con G o con J?
Genio, rojo, jirafa, gitana.

¿Con H o sin H?
Hotel, agua, huevo, helado.

7 **Listen and tick the word they spell out.**

1 ROMERO ☐   RODERO ☐
2 DÍEZ ☑   DÍAZ ☐
3 GONZÁLEZ ☐   GONZALVO ☐
4 RIBERA ☐   RIVERA ☐
5 JIMÉNEZ ☐   GIMÉNEZ ☐
6 PADÍN ☐   BADÍN ☐

STRESSED SYLLABLES

If the word has a written accent, this indicates the stressed syllable.
café   médico   árbol

If the word has no written accent and ends in any consonant except **n** or **s**, stress the last syllable.
Madrid   español   hablar

If the word ends in a vowel or **n** or **s**, stress the next-to-last syllable.
jefe   ventana   examen   crisis

9 **Underline the stressed syllables in the words in the box.**

alemán • alemana • japonés • profesor
estudiante • profesora • brasileño
hospital • estudiar • libro
lección • compañero • madre

10 **Listen, check and repeat.**

8 **Ask five of your classmates their name and surname. Follow this model.**

- ¿Cómo te llamas?
- Fabio.
- ¿Con be o con uve?
- Con be.
- ¿Y de apellido?
- Oliveira.
- ¿Cómo se escribe?
- O-ele-i-uve-e-i-erre-a.
- ¿Así está bien?
- Sí, vale.

Classroom language

¿Puede repetir, por favor?

¿Cómo se dice "orange"?

¿Cómo se escribe?

Perdone, no entiendo.

¿Qué significa "arroz"?

11 You probably already know some words in Spanish. Match these words up with the photographs.

1 fiesta ☐	6 flamenco ☐	11 salsa ☐
2 hotel ☐	7 tango ☐	12 playa ☐
3 cine ☐	8 bar ☐	13 paella ☐
4 hospital ☐	9 chocolate ☐	14 guitarra ☐
5 restaurante ☐	10 café ☐	15 siesta ☐

12 🔊 6 Listen and repeat.

13 Do you know any more Spanish words?

ANTES DE EMPEZAR

ASTURIAS CANTABRIA PAÍS VASCO FRANCIA
A Coruña
Santiago de
Compostela
Lugo
Oviedo Santander Bilbao S. Sebastián
ANDORRA
GALICIA León Vitoria NAVARRA
Burgos CATALUÑA
Pontevedra Ourense Palencia Logroño Pamplona Huesca Girona
Zamora Valladolid LA RIOJA Zaragoza
Soria ARAGÓN Lleida Barcelona
CASTILLA Y LEÓN Tarragona
Segovia Guadalajara Teruel
Salamanca MADRID Castellón
Ávila MADRID Cuenca VALENCIA
PORTUGAL Cáceres Toledo CASTILLA - Palma de Mallorca
EXTREMADURA LA MANCHA Valencia ISLAS BALEARES
Mérida Albacete
Badajoz Ciudad Real Alicante
Córdoba Jaén Murcia
Huelva Sevilla MURCIA
ANDALUCÍA Granada ARGELIA
Cádiz Málaga Almería
Ciudad Autónoma
Ceuta Ciudad Autónoma
Melilla

ISLAS CANARIAS
Santa Cruz de Tenerife
Las Palmas

MARRUECOS

- ◉ CAPITAL DEL PAÍS
- ● Capital autonómica
- ○ Capital de provincia

Spanish

Spanish, or Castilian, is the official language of Spain and 19 Latin American countries. It has the second greatest number of native speakers after Chinese: 450 million.

Spanish is derived from Latin, like French, Italian, Portuguese and Romanian. In Spain, Catalan, Galician and Basque are also official languages.

WORDS FOR PEOPLE FROM SPAIN

andaluz / andaluza
aragonés / aragonesa
asturiano /asturiana
balear / balear
canario / canaria
cántabro / cántabra
castellanoleonés / castellanoleonesa
castellanomanchego / castellanomanchega
catalán / catalana
extremeño / extremeña
gallego / gallega
madrileño / madrileña
murciano / murciana
valenciano / valenciana
vasco / vasca

Canadá

OTTAWA

Estados Unidos

WASHINGTON

Océano Atlántico

Océano Pacífico

Mar Caribe

México

Bahamas

NASSAU

La Habana

Cuba

República
Dominicana

SANTO DOMINGO

CIUDAD DE MEXICO

KINGSTON

Haití

SAN JUAN

Jamaica

PUERTO
PRÍNCIPE

Puerto
Rico

Barbados

Granada

CARACAS

Trinidad y Tobago

Venezuela

GEORGETOWN

PARAMARIBO

BOGOTÁ

Guyana

CAYENA

Colombia

Surinam

Guayana Francesa

Ecuador

QUITO

Perú

Brasil

LIMA

BRASILIA

Bolivia

Mar Caribe

México

Belize

BELMOPÁN

Guatemala

GUATEMALA

Honduras

SUCRE

SAN SALVADOR

TEGUCIGALPA

Paraguay

El Salvador

Nicaragua

ASUNCIÓN

MANAGUA

Costa Rica

Argentina

SAN JOSÉ

PANAMÁ

Chile

Uruguay

Océano Pacífico

Panamá

MONTEVIDEO

Colombia

SANTIAGO
DE CHILE

BUENOS AIRES

WORDS FOR PEOPLE FROM SPANISH AMERICA

argentino / argentina
boliviano / boliviana
colombiano / colombiana
costarricense / costarricense
cubano / cubana
chileno / chilena
dominicano / dominicana
ecuatoriano / ecuatoriana
guatemalteco / guatemalteca
hondureño / hondureña
mexicano / mexicana

nicaragüense / nicaragüense
panameño / panameña
paraguayo / paraguaya
peruano / peruana
puertorriqueño / puertorriqueña
salvadoreño / salvadoreña
uruguayo / uruguaya
venezolano / venezolana

14 Do you recognize these places? Match up the names and the photographs.

Sagrada Familia (España) ☐   Cataratas de Iguazú (Argentina y Paraguay) ☐   Museo Gugenheim (España) ☐

Machu Picchu (Perú) ☐   La Alhambra (España) ☐   La Casa Rosada (Argentina) ☐   Murallas romanas (España) ☐

Playa de Cancún (México) ☐   Plaza el Zócalo (México) ☐   La Giralda (España) ☐

Saludos

- Greeting and introducing someone
- Nationalities
- Jobs: gender
- *Tú* and *usted*
- Asking for and giving telephone numbers and addresses
- **Culture:** Ways of addressing people (*tú* and *usted*)

¡Encantado!

Hablar

1 **Look at the photos and say where they are.**

1 En una oficina. ☐   3 En clase. ☐
2 En un hotel. ☐   4 En una cafetería. ☐

Escuchar

2 🔊**7** **Listen and read.**

EN CLASE

Isabelle: ¡Hola, Marcelo!, ¿qué tal?
Marcelo: Bien, ¿y tú?
Isabelle: Muy bien. Mira, esta es Ulrike, una nueva compañera, es alemana.
Marcelo: ¡Hola! ¡Encantado! ¿Eres de Berlín?
Ulrike: Sí, pero ahora vivo en Madrid.

EN UN HOTEL

Recepcionista: Su nombre, por favor.
Fernando: Yo me llamo Fernando Álvarez y ella es Carmen Hernández.
Recepcionista: ¿De dónde son ustedes?
Fernando: Somos argentinos, de Buenos Aires.
Recepcionista: Ah, Buenos Aires… Aquí están sus tarjetas, bienvenidos a Madrid.
Fernando: Gracias.

EN UNA OFICINA

Díaz: ¡Buenos días!, señor Álvarez, ¿qué tal está?
Álvarez: Muy bien, gracias. Mire, le presento a Marta Rodríguez, la nueva directora.
Díaz: Encantado de conocerla, yo me llamo Gerardo Díaz, y soy el responsable de administración.
Rodríguez: Mucho gusto, Gerardo.

3 **Fill in the gaps.**

EN UNA CAFETERÍA

Luis: ¡Hola, Eva!, ¿_____?
Eva: Bien, ¿_____?
Luis: Muy bien. _____, este es Roberto, un compañero nuevo.
Eva: _____ _____
¿De dónde _____?
Roberto: Soy cubano.

4 🔊**8** **Listen and check.**

Comunicación

Informal

- ¡Hola!, ¿qué tal?
- Bien, ¿y tú?

- ¿Cómo te llamas?
- Carmen, ¿y tú?

- Esta es Celia. / Este es Roberto.

Formal

- ¡Buenos días, señor Prado, ¿cómo está usted?
- Muy bien, gracias.

- Le presento al señor Rodríguez.
- ¡Encantado/a! / Mucho gusto.

Hablar

5 Practise greetings and introductions with your classmates in pairs or groups of three.

Gramática

GENDER OF ADJECTIVES OF NATIONALITY	
masculine	feminine
italiano	italiana
español	española
estadounidense	estadounidense
marroquí	marroquí

6 Fill in the gaps.

	COUNTRIES	NATIONALITIES	
1	China	chino	
2		iraní	
3	Reino Unido	británico	
4	Turquía		turca
5	Sudáfrica		sudafricana
6		colombiano	
7		brasileño	
8	Francia		francesa
9	Polonia	polaco	
10	Suecia		sueca
11			alemana
12	Canadá		

7 🔊 9 Listen and repeat.

8 Practise with your classmates and imagine you have a different nationality from your real one.

- ¿De dónde eres?
- Soy colombiana, ¿y tú?
- Yo soy francés.

Escuchar

9 🔊 10 Listen and fill in the cards.

1

Nombre:
_____

Apellido:
_____

Nacionalidad:
_____

2

Nombre:
_____

Apellido:
_____

Nacionalidad:
_____

3

Nombre:
_____

Apellido:
_____

Nacionalidad:
_____

4

Nombre:
_____

Apellido:
_____

Nacionalidad:
_____

Vocabulario

1 Write the correct letter in the box.

1 peluquera ☐ F
2 profesor ☐
3 médica ☐
4 camarero ☐
5 ama de casa ☐

6 taxista ☐
7 cartero ☐
8 actriz ☐
9 abogada ☐
10 limpiadora ☐

 A

 B

 C

 D

 E

 F

 G

 H

 I

 J

2 Choose a profession. Ask three of your classmates.

■ *¿A qué te dedicas?*
● *Soy médico, ¿y tú?*
■ *Yo soy abogada.*

Gramática

GENDER OF NAMES OF PROFESSIONS	
masculine	feminine
camarero	camarera
profesor	profesora
estudiante	estudiante
presidente	presidenta
economista	economista

3 Write the feminine form.

1 el vendedor — la *vendedora*
2 el secretario — la _____
3 el conductor — la _____
4 el cocinero — la _____
5 el futbolista — la _____
6 el cantante — la _____
7 el actor — la _____
8 el jardinero — la _____
9 el guía — la _____
10 el pianista — la _____

4 🔊11 Listen and read.

Me llamo Manolo García. Soy médico. Soy sevillano, pero vivo en Barcelona. Trabajo en un hospital. Mi mujer se llama Amelia, es profesora y trabaja en un instituto. Ella es catalana. Tenemos dos hijos, Sergio y Elena; los dos son estudiantes. Sergio estudia en la universidad, y Elena, en el instituto.

5 Answer the questions.

1 ¿A qué se dedica Manolo? *Es médico.*
2 ¿De dónde es Manolo?
3 ¿Dónde viven?
4 ¿Dónde trabaja Amelia?
5 ¿De dónde es Amelia?
6 ¿Cuántos hijos tienen?
7 ¿Qué hacen los hijos?

PRESENT OF REGULAR VERBS

	trabajar	comer	vivir
yo	trabajo	como	vivo
tú	trabajas	comes	vives
él / ella / usted	trabaja	come	vive
nosotros/as	trabajamos	comemos	vivimos
vosotros/as	trabajáis	coméis	vivís
ellos / ellas / ustedes	trabajan	comen	viven

PRESENT OF IRREGULAR VERBS

	ser	tener
yo	soy	tengo
tú	eres	tienes
él / ella / usted	es	tiene
nosotros/as	somos	tenemos
vosotros/as	sois	tenéis
ellos / ellas / ustedes	son	tienen

6 Complete the sentences with the correct form of the verb.

1 Belén no _____ madrileña, _____ valenciana.
2 Rocío _____ en una agencia de viajes.
3 Javier Bardem _____ un actor español.
4 Nosotros _____ tres hijos.
5 Mi marido _____ muchas verduras.
6 ¿De dónde _____ Fernando?
7 Yo no _____ carne, _____ vegetariana.
8 Miguel y María _____ en una empresa sevillana.
9 ¿Tus padres _____ en una casa al lado de la playa?
10 Tú _____ más dinero que yo.
11 Nosotras no _____ profesoras: Rosa _____ médica y yo _____ periodista.
12 ¿Usted _____ colombiano?

7 Fill in the gaps.

TÚ	USTED
¿Dónde vives?	¿Dónde _vive_ usted?
¿Cómo _____?	¿Cómo se llama usted?
¿Tienes hijos?	¿_____ hijos usted?
¿De dónde _____?	¿De dónde _____ usted?
¿A qué _____?	¿A qué se dedica usted?

8 Practise the previous questions with your teacher using *usted*.

Leer

9 Complete the text with the correct form of the verb.

Me [1] llamo Elaine Araujo y [2] _____ arquitecta. [3] _____ brasileña, pero ahora [4] _____ en Madrid porque estudio un máster en la universidad. También [5] _____ los fines de semana en un restaurante. Estoy soltera pero [6] _____ un novio español: él [7] _____ en una empresa de informática.

Escribir

10 Write a paragraph about yourself. Then, read it to your classmates.

Me llamo _____
_____, soy _____
_____.

Intonation in questions

1 Listen and repeat.

1 ¿De dónde eres?
2 ¿De dónde son ustedes?
3 ¿Cómo te llamas?
4 ¿Quién es este?
5 ¿Dónde vives?
6 ¿Dónde trabaja usted?
7 ¿Dónde viven ustedes?
8 ¿Cómo se llama el marido de Ana?

Vocabulario

1 Write the numbers.

> seis • uno • ocho • tres • nueve

0 cero   1 _____

2 dos   3 _____   4 cuatro

5 cinco   6 _____

7 siete   8 _____

9 _____   10 diez

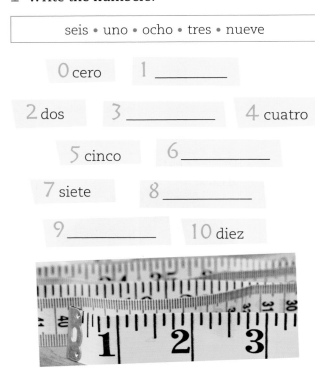

2 🔊13 Listen and check.

3 Practise with your partner.

2 + 3 = _cinco_   8 - 6 = _dos_
■ ¿Dos más tres?   ■ ¿Ocho menos seis?
● Cinco.   ● Dos.

3 + 5 = _____   9 - 4 = _____
4 + 4 = _____   1 - 0 = _____

Escuchar

4 🔊14 Listen and write the telephone numbers.

1 María: 936 547 832
2 Jorge: _____
3 Marina: _____ , _____
4 Aeropuerto de Barajas: _____
5 Cruz Roja: _____
6 Radio-taxi: _____

Hablar

5 Ask several of your classmates for their telephone numbers. Write them down.

> ■ *Lars, ¿cuál es tu número de teléfono / móvil?*
> ● *Es el 95 835 62 10.*
> ■ *Gracias.*

6 Now ask them for their email addresses.

> ■ *¿Cuál es tu correo electrónico?*
> ● *joseluis@gmail.com*

Vocabulario

7 🔊15 Listen and learn.

11 once	16 dieciséis
12 doce	17 diecisiete
13 trece	18 dieciocho
14 catorce	19 diecinueve
15 quince	20 veinte

8 In pairs, write the numbers.

4 x 4 = _dieciséis_
Cuatro por cuatro dieciséis

9 x 2 = _____   4 x 5 = _____
3 x 6 = _____   2 x 8 = _____
5 x 3= _____   7 x 2 = _____
2 x 6 = _____   3 x 4 = _____

9 🔊16 Play bingo.

A Choose one of the cards..
B Listen and cross off the numbers you hear. Good luck!

1

B	I	N	G	O
1	4	7	13	16
2	5	8	14	18
3	6	11	15	19

2

3	7	10	13	16
4	8	11	14	17
5	9	12	15	20

Escuchar

10 🔊**17** Read, listen and fill in the gaps.

EN UN GIMNASIO

Felipe: ¡Buenas tardes!

Rosa: ¡Hola!, [1] _____.

Felipe: Quiero apuntarme al gimnasio.

Rosa: Tienes que darme tus datos. A ver, ¿[2] _____?

Felipe: Felipe Martínez.

Rosa: ¿Y de segundo apellido?

Felipe: Franco.

Rosa: ¿Dónde [3] _____?

Felipe: En la calle Goya, número ochenta y siete, tercero izquierda.

Rosa: ¿Teléfono?

Felipe: [4] _____.

Rosa: ¿Profesión?

Felipe: [5] _____.

Rosa: Bueno, ya está; el precio es…

11 Complete the card with Felipe's details.

Gramática

¿A **qué** te dedicas?
¿**Cómo** te llamas?
¿De **dónde** eres?
¿**Dónde** vives?
¿**Dónde** trabajas?
¿**Cuál** es tu número de teléfono?

12 Complete the sentences with *qué, dónde, cómo, cuál.*

1 ■ ¿De *dónde* es Gloria Estefan?
  ● De Cuba.
2 ■ ¿_____ trabajas?
  ● En un banco.
3 ■ ¿_____ se llama tu compañero?
  ● Mariano.
4 ■ ¿_____ vive Julio?
  ● En Miami.
5 ■ ¿A _____ se dedica tu mujer?
  ● Es cantante.
6 ■ ¿De _____ son ustedes?
  ● Somos alemanes, de Bonn.
7 ■ ¿_____ significa "saludo"?
  ● «Hola» es un saludo.
8 ■ ¿A _____ te dedicas?
  ● Soy pintor.
9 ■ ¿_____ es tu número de teléfono?
  ● 693 22 06 31.

Hablar

13 Prepare five questions for a classmate and then ask them. Write down the answers.

¿Dónde vives?
¿Cómo se llama tu padre?
¿De dónde eres?…

Gimnasio Praga

NOMBRE _____ APELLIDOS _____

DOMICILIO ACTUAL _____ NÚMERO ____

PISO ____ PUERTA ____ TELÉFONO _____ PROFESIÓN _____

CORREO ELECTRÓNICO femartinez@gmail.com

Leer

1 Read the following text.

Saludos

En español podemos hablar en estilo formal o informal. En estilo formal usamos *usted (Ud.)* y *ustedes (Uds.)* para hablar con personas desconocidas, de mayor edad o superiores en el trabajo: un jefe, un profesor, un médico. También en estilo formal utilizamos las fórmulas *señor (Sr.)* y *señora (Sra.)* con el apellido: *Sr. Pérez.*

En estilo informal usamos el nombre, y es muy habitual decir *¡hola!* para saludar y *¡hasta luego!,* para despedirse; pero también decimos *¡adiós!, ¡hasta mañana!* o *¡hasta pronto!*

En estilo formal e informal es normal saludar también con *¡buenos días!,* por la mañana; *¡buenas tardes!,* por la tarde; y *¡buenas noches!,* por la noche.

2 Tick the correct form.

	Tú	Usted
1 Hablo con un camarero.	☐	☐
2 Hablo con mi profesor.	☐	☐
3 Hablo con mi tío.	☐	☐
4 Hablo con la vendedora.	☐	☐
5 Hablo con un niño.	☐	☐
6 Hablo con una persona de 70 años desconocida.	☐	☐

3 Match up the elements.

1 ¡Hola!, ¿qué tal?
2 ¡Adiós!
3 ¡Hola, chico!, ¿cómo estás?
4 ¡Hola!, me llamo Javier.
5 Buenas noches, ¿cómo está usted?
6 Vos sos* Pablo, ¿no?

a ¡Hola!
b Sí, hola. Y vos Óscar, claro.
c Hola, yo soy Marisa.
d Bien, ¿y tú?, ¿qué tal?
e Bien, ¿y Ud.?
f ¡Adiós, hasta luego!

* En Argentina dicen *vos sos* en lugar de *tú eres*.

Escuchar

4 🔊18 Listen to how four people introduce themselves and complete the table.

NOMBRE	PROFESIÓN	CIUDAD	MÓVIL
	estudiante		
Claudia			
		Caracas	
Manuel			

Hablar

Alumno A (alumno B, see «En parejas»)

5 ¿Do you know these famous people? Ask B about numbers 1, 3, 5 and 7.

¿Cómo se llama el número 1? ¿De dónde es? ¿A qué se dedica?

_____
_____
_____

Benicio del Toro
puertorriqueño
actor

_____
_____
_____

Miquel Barceló
español
pintor

_____
_____
_____

Penélope Cruz
española
actriz

_____
_____
_____

Pedro Almodóvar
español
director de cine

6 Give B information about numbers 2, 4, 6 and 8.

El número 2 se llama Benicio del Toro. Es puertorriqueño. Es actor.

Escribir

7 Fill in these index cards with your own details and those of your partner.

Nombre:	Nombre:
Apellido:	Apellido:
Nacionalidad:	Nacionalidad:
Profesión:	Profesión:
Domicilio:	Domicilio:
Ciudad:	Ciudad:
Teléfono:	Teléfono:
Correo electrónico:	Correo electrónico:

1 Read the texts and complete the questions.

A Me llamo Peter Tuck. Soy profesor de inglés. Vivo en Madrid y trabajo en un colegio. Estoy soltero.

B Yo me llamo Maria Rodrigues; soy brasileña, de Río de Janeiro. Mi marido se llama Bruno y también es brasileño. Somos profesores.

C Yo me llamo Yoshie Kikkawa y soy japonesa, de Tokio. Estoy casada. Mi marido se llama Mitsuo y tenemos dos hijos, Kimiko y Ken. Los dos estudian en el colegio.

1 ■ ¿_Dónde_ vive Peter?
  ● En Madrid.
2 ■ ¿_____ Peter?
  ● En un colegio.
3 ■ ¿_____ Maria?
  ● Es brasileña.
4 ■ ¿_____ el marido de Maria?
  ● Bruno.
5 ■ ¿_____ Yoshie?
  ● De Tokio.
6 ■ ¿Qué _____ los hijos de Yoshie?
  ● Estudian en el colegio.

2 Complete the dialogues.

1 ■ Hola, me _llamo_ Manuel, y _____ español. ¿Cómo _____ tú?
  ● _____ Marta.
2 ■ Buenos días, señor Jiménez, ¿cómo _____ usted?
  ● Bien, gracias, ¿y _____?
3 ■ Mire, señora Rodríguez, le _____ al señor Márquez.
  ● _____.
  ▼ Mucho gusto.
4 ■ Hola, Laura. ¿Qué _____?
  ● Hola, Manu, muy _____. Mira, _____. es Marina, una nueva _____.
  ■ Hola, ¿qué _____?
  ▼ _____ , ¿y tú?
  ■ Muy bien.

3 🔊19 Listen to the surnames and write in the number of the order in which you hear them.

Díaz	☐	Martínez	☐
Vargas	☐	**Díez**	☐
Marín	☐	Martín	☐
Serrano	☐	**López**	☐
Moreno	☐	**Romero**	☐
Jiménez	☐	García	☐
Pérez	☐		

4 Read and say if they are using _tú_ or _usted_.

	Tú	Usted
1 ¿Cómo te llamas?	☑	☐
2 ¿Dónde vive?	☐	☐
3 ¿De dónde es?	☐	☐
4 ¿Dónde trabaja?	☐	☐
5 ¿De dónde eres?	☐	☐
6 ¿Cuál es tu número de teléfono?	☐	☐
7 ¿A qué te dedicas?	☐	☐

¿Qué sabes?

	☺	😐	☹
· Saludar y presentar a alguien.	☐	☐	☐
· Decir la nacionalidad y la profesión.	☐	☐	☐
· Los números del 1 al 20.	☐	☐	☐
· Preguntar y decir el domicilio y el número de teléfono.	☐	☐	☐

Familias

a)

b)

c)

d)

Hola, soy Jorge. Estoy casado y esta es mi familia. Mi mujer se llama Rosa y tenemos dos hijos: Isabel, de doce años, y David, de diez. Vivimos en Fuenlabrada, cerca de Madrid. Soy profesor de autoescuela.

Vocabulario

1 Match up the questions and answers.

1 ¿Estás casado/a?
2 ¿Tienes hijos?
3 ¿Tienes hermanos?

a No, no tengo.
b Sí, un hermano y una hermana.
c No, estoy soltero/a.

2 🔊20 Jorge and Luis talk about their families. Read the texts and listen.

3 Write the names of the people in the photographs.

4 Write the questions for these answers.

1 Jorge vive cerca de Madrid. *¿Dónde vive Jorge?*
2 Es profesor de autoescuela.
3 Se llama Manuel.
4 Estudia Medicina.
5 Tiene setenta y nueve años.

e)

f)

g)

h)

Yo soy Luis. No tengo hermanos, no tengo novia, estoy soltero y vivo en Sevilla con mis padres y mi abuela. Mi padre se llama Manuel y tiene cincuenta y ocho años. Mi madre se llama Rocío y tiene cincuenta y seis años. Mi abuela tiene setenta y nueve años y se llama Carmen. Soy estudiante de Medicina.

5 Complete the sentences using the words in the box.

> ~~mujer~~ • hermana • padre • hijo
> abuela • madre • marido

1 Rosa es la _mujer_ de Jorge.
2 David es _____ de Jorge y Rosa.
3 Rosa es la _____ de Isabel.
4 Isabel es _____ de David.
5 Manuel es el _____ de Luis.
6 Carmen es _____ de Luis.
7 Manuel es el _____ de Rocío.

Hablar

6 Ask several classmates these questions and then fill in the card.

1 ¿Estás casado/a o soltero/a?
2 ¿Tienes hijos?
3 ¿Tienes novio/a?
4 ¿Cómo se llama tu padre / madre?
5 ¿Tienes hermanos?
6 ¿Tienes abuelos?

NOMBRE

a Está soltero/a
b Está casado/a
c Tiene hijos
d Tiene novio/a
e No tiene hermanos
f Tiene abuelos

Escribir

7 Write some sentences about your family and read them to a classmate.

> *Mi padre se llama Toni y tiene sesenta años. Mi hermana está casada y tiene dos hijos. Mi padre es taxista y mi hermano estudia Arquitectura.*

Gramática

THE PLURAL OF NOUNS	
un mapa	dos mapa**s**
un autobús	dos autobus**es**

8 Look at the illustration and say true (T) or false (F).

En esta clase tienen:
a una televisión ☐   e cinco estudiantes ☐
b dos mapas ☐   f un teléfono ☐
c cinco sillas ☐   g tres mesas ☐
d cinco libros ☐   h dos bolígrafos ☐

9 Write in the plural.

1 un coche   _dos coches_
2 un profesor   _____
3 una ventana   _____
4 una compañera   _____
5 una ciudad   _____
6 un cuaderno   _____
7 un chico   _____
8 un hotel   _____
9 un teléfono   _____
10 un ordenador   _____

10 Fill in the gaps.

SINGULAR	PLURAL
hermano / hermana	hermanos / _hermanas_
padre / _____	_____ / madres
_____ / hija	hijos / _____
abuelo / _____	abuelos / _____

- *Saying where things are*
- *Talking about possession*

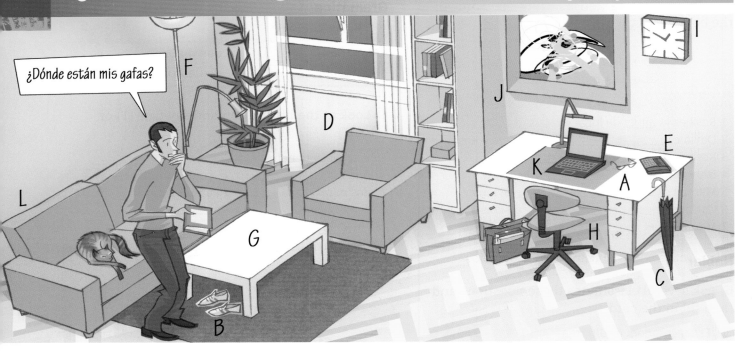

¿Dónde están mis gafas?

Vocabulario

1 Look at the drawing and put the correct letters in the boxes.

1 reloj	☐	7 silla	☐
2 paraguas	☐	8 mesita	☐
3 zapatillas	B	9 gafas	☐
4 ordenador	☐	10 teléfono	☐
5 cuadro	☐	11 sillón	☐
6 sofá	☐	12 lámpara	☐

Gramática

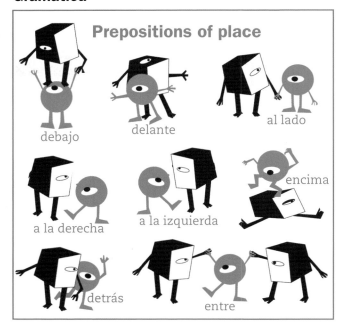

Prepositions of place

debajo delante al lado
a la derecha a la izquierda encima
detrás entre

PREPOSITIONS OF PLACE

debajo de	al lado de	encima de
delante de	a la derecha de	entre
detrás de	a la izquierda de	en

*La planta está **debajo de** la ventana.*
*Los libros están **en** la cartera.*

A + el = **al**
De + el = **del**

*El sofá está **al lado del** sillón.*

2 Look at the picture of the room and complete the sentences.

1 El reloj está _al lado_ del cuadro.
2 Las zapatillas están _____ de la mesita.
3 El teléfono está _____ del ordenador.
4 El sillón está _____ de la librería.
5 Las gafas están _____ el teléfono y el orde-nador.
6 El gato está _____ de David.
7 La ventana está _____ de la planta.
8 El paraguas está _____ del teléfono.
9 El cuadro está _____ la estantería y el reloj.
10 El gato está _____ del sofá.

3 Look around your classroom or your room and write five sentences.

El diccionario está al lado del cuaderno.
La silla está delante de la mesa.

POSSESSIVE ADJECTIVES

subject	singular		plural	
yo	mi	primo / prima	mis	primos / primas
tú	tu	amigo / amiga	tus	amigos / amigas
él / ella / usted	su	hermano / hermana	sus	hermanos / hermanas
nosotros/as	nuestro tío / nuestra tía		nuestros tíos / nuestras tías	
vosotros/as	vuestro hijo / vuestra hija		vuestros hijos / vuestras hijas	
ellos / ellas / ustedes	su	abuelo / abuela	sus	abuelos / abuelas

4 Complete the sentences with the correct possessive adjective.

1 ¿Cuál es _tu_ número de teléfono? (tú)
2 _____ gata se llama Bonita. (ella)
3 ¿Esta es _____ chaqueta? (tú)
4 ¿Dónde está _____ diccionario? (él)
5 ¿Tienes _____ gafas? (yo)
6 _____ casa está cerca de aquí. (nosotros)
7 _____ primos viven en Barcelona. (ellas)
8 ¿Dónde viven _____ padres? (Ud.)
9 ¿Dónde vive _____ hermano? (vosotros)
10 ¿Dónde trabaja _____ madre? (él)

5 Complete the conversation with the correct possessive adjective.

- ¿Estos son (1) _tus_ padres?
- Sí, (2) _____ madre se llama Julia y (3) _____ padre, Miguel.
- ¿Y estos?
- Son (4) _____ tíos, Carlos y Águeda.
- ¿Esta es (5) _____ hija?
- Sí, esa es (6) _____ prima Carolina.
- Pues es muy guapa (7) _____ prima.

POSSESSIVE PRONOUNS

Este es Pedro.
Esta es Elena.
Estos son Pablo y Amanda.
Estas son Lucía y Graciela.

6 Fill in the gaps.

Mira, (1) _estos_ son mis amigos. (2) _____ es Celia, y (3) _____ es Gonzalo, su novio. (4) _____ de la derecha es Laura. (5) _____ de aquí son las hermanas de Gonzalo, Marisa y Pilar.

Hablar

7 Look at the photographs and, with your partner, practise short dialogues, as in the example.

1 ■ (Miguel / libros)
  ● ¿poesía?

■ (yo / cámara)
● ¿fotografía?
    ■ _Esta soy yo con mi cámara._
    ● _¿Eres aficionada a la fotografía?_

2 ■ (nosotros / guitarras)
  ● ¿música?

3 ■ (Sara / cuadro)
  ● ¿arte?

4 ■ (María y Juan / bicicletas)
  ● ¿deporte?

5 ■ (mis hermanas / raquetas)
  ● ¿tenis?

Vocabulario

en punto
menos cinco
y cinco
menos diez
y diez
menos cuarto
y cuarto
menos veinte
y veinte
menos veinticinco
y veinticinco
y media

Comunicación

● **Las comidas**
desayunar - comer - cenar

● **Abrir / Cerrar**
- *En España los bancos* **abren** <u>por la mañana</u>, *pero* **cierran** <u>por la tarde</u>.
- *Las discotecas* **abren** <u>por la noche</u>.
- *Muchos comercios* **cierran** <u>a mediodía</u>.

Leer

4 Read the sentences and mark them with a tick if it's the same in your country, and with a cross if it's different.

Horarios

1 En Noruega la gente come a las cinco de la tarde. ☐
2 En Senegal cenan a las ocho o las ocho y media. ☐
3 En México los bancos no abren por la tarde. ☐
4 En España la gente come a las dos del mediodía. ☐
5 Los españoles cenan a las diez de la noche. ☐
6 En Estados Unidos muchas tiendas abren por la noche. ☐
7 En Francia los restaurantes abren a las 12:00. ☐
8 En Brasil los bancos abren a las diez. ☐
9 En el Reino Unido las farmacias cierran a las cinco de la tarde. ☐
10 En España la mayoría de los comercios cierran de dos a cinco de la tarde. ☐

1 Look at the clocks. What time is it?

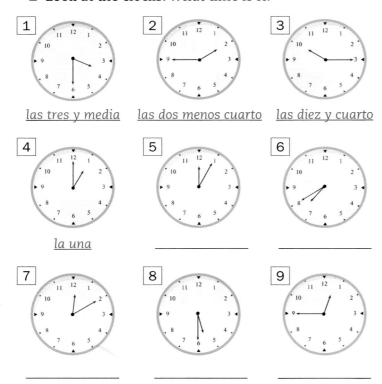

1 *las tres y media*
2 *las dos menos cuarto*
3 *las diez y cuarto*
4 *la una*
5 _____
6 _____
7 _____
8 _____
9 _____

2 🔊·21 Listen and repeat.

3 In your notebook, draw three clocks showing different times. In pairs, ask the time and answer.

■ *Perdone, ¿qué hora es?*
● *Son las siete y veinte.*

5 Talk to your partner and compare these statements with what happens in your country.

■ *En Noruega comen a las cinco de la tarde y en mi país también.*
● *En Noruega comen a las cinco de la tarde, pero en mi país comemos a la una.*

Vocabulario

6 Match the elements on the left with those on the right.

1 sesenta segundos
2 veinticuatro horas
3 siete días
4 doce meses
5 sesenta minutos
6 cien años
7 una década

a una hora
b una semana
c un minuto
d un día
e diez años
f un año
g un siglo

Escuchar

7 🎧22 Listen and fill in the gaps with the words in the box.

> cuarenta • noventa • setenta • seiscientos/as
> cuatrocientos/as • trescientos/as • veinticuatro
> cincuenta y dos • ciento once

21	veintiuno	90	_____
22	veintidós	100	cien
23	veintitrés	103	ciento tres*
24	_____	111	_____
30	treinta	200	doscientos/as
31	treinta y uno	300	_____
40	_____	400	_____
50	cincuenta	500	quinientos/as
52	_____	600	_____
60	sesenta	1000	mil
70	_____	2000	dos mil**
80	ochenta	5000	cinco mil

* Cuando *cien* va seguido de unidades y decenas se dice *ciento, ciento uno, ciento dos...*

** No decimos *dos miles.*

8 🎧23 Listen and tick the number you hear.

a 2 / 12
b 25 / 35
c 90 / 50
d 37 / 67
e 623 / 323
f 135 / 125
g 830 / 850
h 1589 / 1389
i 1988 / 1998
j 1975 / 1985

9 🎧24 Listen and write the number.

1 edad de la niña: <u>12</u> años.
2 precio de las naranjas: _____.
3 precio del paquete de café: _____.
4 año de nacimiento: _____.
5 distancia entre Madrid y Barcelona: _____ km.
6 precio del café y la cerveza: _____.
7 hora: _____.
8 páginas del libro: _____.
9 días del mes de marzo: _____.
10 número de la calle: _____.

Pronunciación y ortografía

Stress

1 🎧25 Listen.

> te**lé**fono **lá**piz ven**ta**na ho**tel**
> profe**sor** her**ma**no fa**mi**lia **mú**sica

2 🎧25 Listen again and repeat. Note the stressed syllables.

3 🎧26 Listen to these words and underline the stressed syllable.

> profe**so**ra espa**ñol** ca**fé** gra**má**tica **me**sa
> vi**vir** ha**blar** **mé**dico auto**bús** Pi**lar** ale**mán**
> brasi**le**ña fa**mi**lia **li**bro exa**men**

4 Write the words from the previous activity in the correct column.

mú<u>si</u>ca	ven<u>ta</u>na	ho<u>tel</u>

Leer

1 Read and say true (T) or false (F).

La familia hispana

Cuando una persona de España o Hispanoamérica habla de su familia, no habla solamente de sus padres y de sus hermanos, habla también de sus abuelos, de sus tíos, de sus primos y de otros parientes.

Además, las reuniones familiares son frecuentes. Todos se juntan para celebrar las fiestas más importantes, como los cumpleaños, la Navidad, el día del Padre y el día de la Madre. Ese día comen todos en una casa o en un restaurante.

Por otro lado, en algunos países de Hispanoamérica es normal celebrar el día en que

las chicas cumplen quince años de una manera especial. Les hacen muchos regalos y toda la familia y amigos van a comer a un restaurante.

1 La familia hispana está compuesta de padres e hijos. ☐ F

2 Las familias españolas y hispanoamericanas se reúnen muchas veces. ☐

3 Las celebraciones familiares siempre se hacen en un restaurante. ☐

4 El día de la Madre es una fiesta muy popular en España. ☐

5 Las chicas hispanoamericanas se casan a los quince años. ☐

---

2 Read the following text.

Dos apellidos

En la mayoría de los países hispanoamericanos, todas las personas tienen dos apellidos. Normalmente el primero es el apellido del padre y el segundo es el de la madre. Estos dos apellidos aparecen en todos los documentos y no cambian al casarse, son para toda la vida.

¿Cuáles son los apellidos de Santiago?

> Me llamo Santiago. Mi padre se llama Enrique Lozano Linares y mi madre Luisa Pardo Pérez.

Santiago _____

_____

3 Read the texts again and answer the questions.

1 ¿Qué personas forman parte de la familia en España?

2 ¿Para qué se reúnen las familias españolas? ¿Cómo son sus celebraciones?

3 ¿Cómo se celebra en algunos países hispanoamericanos el cumpleaños de las niñas de quince años?

4 ¿Qué apellidos tienen las personas en la mayoría de los países hispanoamericanos?

Hablar

4 Talk with your classmates.

• ¿Cuántos apellidos tienes?

• ¿Cambia en tu país el apellido de las mujeres cuando se casan?

• ¿Te parece bien la costumbre de tener dos apellidos?

Yo tengo un apellido y...

Escribir

5 Draw your family tree. Then write a short text saying who the people are, what their names are, how old they are, where they live and what time of year you get together for family celebrations.

Escuchar

6  Listen and fill in the gaps.

Dos de los actores españoles más famosos en el mundo son Penélope Cruz y su [1] _____, Javier Bardem. Mónica, la [2] _____ de Penélope, y Pilar y Carlos, la [3] _____ y el [4] _____ de Javier, también son actores.

La familia Alcántara celebra la primera comunión de su [5] _____ María. Junto a la niña están sus [6] _____, Antonio y Merche, sus [7] _____, Carlitos y Toni, y su [8] _____, Herminia.

Mario Vargas Llosa, Premio Nobel de Literatura, y su [9] _____, Patricia, tienen dos [10] _____, Álvaro y Gonzalo, y una [11] _____, Morgana. Mario y Patricia son [12] _____.

Hablar

Alumno A (alumno B, see «En parejas»)

7 Ask B where the things in the box are.

gafas   zapatillas deportivas   bolígrafo

agenda   CD   cuaderno

¿Dónde están las gafas?

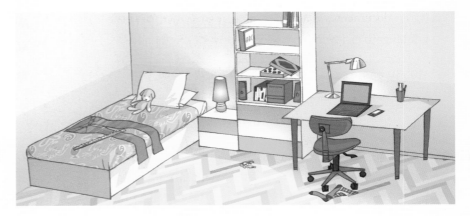

8 Tell B where his / her objects are.

El móvil está al lado del ordenador.

1 Match up the questions and answers.

1 ¿Dónde está mi bolígrafo?
2 ¿Estás casado?
3 ¿Tienes hijos?
4 ¿Cuántos hermanos tienes?
5 ¿Qué hora es?
6 ¿A qué hora comen en tu país?

a No, estoy soltero.
b Tres.
c Encima de la mesa.
d Sí, una niña.
e A la una.
f Las dos menos cuarto.

2 Write the numbers.

a 27 _veintisiete_
b 52 _____
c 116 _____
d 238 _____
e 456 _____

f 510 _____
g 1987 _____
h 2003 _____
i 2999 _____
j 4100 _____

3 Write in the plural.

1 Este hotel es muy caro.
   Estos hoteles son muy caros.
2 Mi hermana está casada.
   _____
3 Mi hermano tiene un hijo.
   _____ dos _____
4 Mi compañero es japonés.
   _____
5 Esta profesora es simpática.
   _____
6 Este libro no es interesante.
   _____
7 Este profesor no es español.
   _____
8 Esta chica está soltera.
   _____
9 Mi gato es joven.
   _____
10 ¿Tu padre es catalán?
   _____

4 Complete using the verb *estar* or *tener*.

1 Las zapatillas _están_ debajo de la silla.
2 Marieli _____ dos hijos.
3 Mi hermano _____ casado.
4 Yo no _____ abuelos.
5 ¿Carmen y Ana _____ hermanos?
6 ¿Dónde _____ la carpeta roja?
7 Mi marido no _____ en casa.
8 Nosotros no _____ coche.
9 Luis y Pepe _____ trabajo.

5 🔊28 **Listen and write down the train departure and arrival times.**

SALIDAS			
tren	andén	destino	hora
Altaria	3	Zaragoza	_____
Talgo	6	Málaga	_____
AVE	2	Sevilla	_____

LLEGADAS			
tren	andén	procedencia	hora
AVE	11	Sevilla	_____
Alaris	8	Valencia	_____
Talgo	4	Vigo	_____

¿Qué sabes?

☺ ☺ ☹

· Hablar de la familia.   ☐ ☐ ☐
· Formar el plural de los nombres.   ☐ ☐ ☐
· Decir dónde están las cosas.   ☐ ☐ ☐
· Preguntar y decir la hora.   ☐ ☐ ☐
· Contar hasta 5000.   ☐ ☐ ☐

El trabajo

3

·· Talking about daily routines
·· Talking about work: place, job and hours
·· Ordering breakfast
·· **Culture:** Spanish habits and timetables

■ *Talking about daily routines*

Vocabulario

1 Match the sentences with the drawings.

1 Carlos y Ana se casan.   ☐ D
2 Roberto se afeita todos los días.   ☐
3 Rosa se levanta a las siete.   ☐
4 Mercedes se baña.   ☐
5 José se ducha.   ☐
6 Mis vecinos se acuestan temprano.   ☐

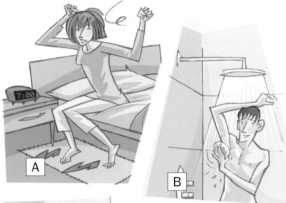

Comunicación

Temprano / Tarde

■ *Los lunes me levanto muy **temprano**, a las seis de la mañana.*
● *¿Y los domingos?*
■ *Los domingos me levanto muy **tarde**, a las 11 o las 12.*

2 Answer the questions.

1 ¿A qué hora te levantas?
2 ¿A qué hora te acuestas?

Gramática

REFLEXIVE VERBS

		levantarse	acostarse*
yo	**me**	levanto	acuesto
tú	**te**	levantas	acuestas
él / ella / Ud.	**se**	levanta	acuesta
nosotros/as	**nos**	levantamos	acostamos
vosotros/as	**os**	levantáis	acostáis
ellos / ellas / Uds.	**se**	levantan	acuestan

* Verbo irregular

3 Complete the conversation with the words in the box.

> levantarse • acostarse • ducharse

■ Y tú, Juan, ¿a qué hora <u>te levantas</u>?
● Bueno, yo ____ _____ pronto, a las siete, más o menos, ____ _____ rápidamente y tomo un café.
■ Y tu mujer, ¿a qué hora ____ _____?
● Pues a las siete y media. Ella también ___ _____ más tarde, sobre las doce de la noche.
■ ¿Y tus hijos?
● Ellos cenan, ven un poco la tele y ___ _____ temprano, a las diez.
■ ¿Y a qué hora ___ _____?
● A las ocho, porque entran al colegio a las nueve.
■ ¿Y los días de fiesta también ____ _____ todos temprano?
● ¡Ah, no!, ni hablar, los domingos ____ _____ más tarde, a las diez, porque, claro, también ____ _____ más tarde.

4 🔊29 Listen and check.

THE PRESENT OF IRREGULAR VERBS

empezar	volver	ir	salir
empiezo	vuelvo	voy	salgo
empiezas	vuelves	vas	sales
empieza	vuelve	va	sale
empezamos	volvemos	vamos	salimos
empezáis	volvéis	vais	salís
empiezan	vuelven	van	salen

5 Make sentences.

1 Carmen / empezar / su trabajo / a las ocho.
Carmen empieza su trabajo a las ocho.
2 ¿A qué hora / empezar / la película?
3 Mi padre / ir / al trabajo / en autobús.
4 Yo / volver / a mi casa / a las siete.
5 ¿Cuándo / volver / de vacaciones tus hermanos?
6 ¿Ir (nosotros) / a casa de la abuela?
7 ¿Cómo / ir (tú) / al trabajo?
8 ¿Ir (vosotros) / al colegio / en autobús?
9 ¿A qué hora / salir (tú) / de casa?
10 ¿A qué hora / empezar / las clases?

PREPOSITIONS OF TIME

The time

El lunes		la mañana
Hoy	**por**	la tarde
El sábado		la noche

*Yo solo trabajo **por** la mañana.*
*Julia se ducha **por** la tarde.*
*Los sábados **por** la noche vamos a la discoteca.*

Quantifiers

			la mañana
Son	las diez		la tarde
A	las cinco	**de**	la noche
	las tres		la madrugada

*Se levanta **a** las seis **de** la mañana.*
*Ella trabaja **desde** las ocho **hasta** las tres.*
*Ella trabaja **de** ocho **a** tres.*
*Hoy **por** la tarde no tengo clase.*
*El sábado **por** la noche vamos **a** la discoteca.*

Comunicación

Cuantificadores

- *Todos* los camareros del hotel hablan inglés.
- *La mayoría* de los españoles se acuesta tarde.
- *Muchas* personas en el mundo estudian español.
- *Algunos* alumnos van al colegio en autobús.

6 Read the article and answer the questions.

Escuela Provincial de *Ballet* Alejo Carpentier (La Habana, Cuba)

En esta escuela estudian los alumnos desde los nueve hasta los catorce años. El ritmo de trabajo es muy duro, tienen clase por la mañana y por la tarde. Por la mañana, las clases empiezan a las siete y cuarto todos los días, y algunos alumnos se levantan a las cinco de la mañana. Las clases de baile terminan a las doce, y a esa hora los alumnos van a otra escuela que está cerca. Allí estudian las mismas asignaturas (Lengua, Matemáticas, Geografía, etc.) que los demás niños de su edad. Terminan las clases a las seis de la tarde y a veces vuelven otra vez a la escuela de *ballet*, hasta las ocho.

(Texto adaptado de «El milagro cubano», de Mauricio Vicent para *El País*).

1 ¿Cuántas horas de *ballet* tienen cada día?
2 ¿Estudian en la misma escuela otras asignaturas?
3 ¿Qué edad tienen los alumnos de esta escuela?
4 ¿A qué hora terminan las clases por la tarde?

7 Read the text and complete the sentences with the words in the box.

> a • de • desde • hasta • por

1 En esta escuela estudian los niños _____ los nueve _____ los catorce años.
2 Algunos alumnos se levantan muy pronto, _____ las cinco _____ la mañana.
3 _____ la mañana, los niños están en la escuela de *ballet* _____ las siete y cuarto _____ las doce.
4 En la escuela de *ballet* los alumnos tienen clase _____ la mañana y _____ la tarde.
5 Los alumnos de *ballet* van a otra escuela ____ las doce ____ las seis de la tarde.
6 Por la tarde, las clases de *ballet* son ____ las ocho.

Leer

1 Write the days of the week in the correct order.

martes   lunes   jueves   sábado   **viernes**   domingo   miércoles

1. _____   2. _____   3. _____   4. _____   5. _____   6. _____   7. _____

¿Qué día es hoy?

2 🔊 30 Read and listen to the texts about Lucía and Carlos.

Lucía es técnico de sonido y trabaja en una emisora de radio, la Cadena Día. Tiene veintinueve años y no está casada. Vive en Valencia, y habla inglés y francés perfectamente. Todos los días trabaja de ocho a tres, menos los sábados y domingos. Los días laborables se levanta a las siete y sale de casa a las siete y media. Va al trabajo en autobús. Los sábados por la noche siempre sale con sus amigos a cenar y a bailar, por eso se acuesta muy tarde, a las tres o las cuatro de la madrugada.

Carlos es bombero. Trabaja en el ayuntamiento de Toledo. Vive en un pueblo cerca de Toledo y va al trabajo en tren. Tiene treinta y cuatro años, está casado y no tiene hijos. Trabaja en turnos de veinticuatro horas, un día sí y otro no. Si trabaja el sábado o el domingo, después tiene dos días libres. Siempre se levanta muy temprano, a las siete o las ocho de la mañana, por eso normalmente no sale por las noches. Cena a las diez, después ve la tele y a las once y media se acuesta.

3 Read again and complete the sentences.

Lucía

1 Lucía _es_ técnico de sonido.
2 Trabaja _____ ocho _____ tres.
3 Normalmente _____ a las siete.
4 _____ al trabajo _____ autobús.
5 Los sábados _____ la noche _____ con sus amigos.
6 Los sábados _____ la noche _____ muy tarde.

Carlos

1 Carlos _vive_ en un pueblo pequeño cerca de Toledo.
2 No _____ hijos.
3 Se levanta muy _____, ____ las siete o las ocho ____ la mañana.
4 Carlos normalmente no _____ por la noche y _____ a las once y media.

Hablar

4 Write the following questions and then ask them to your classmate. Note down his/her answers.

1 ¿Hora / levantarse / normalmente?
   ¿A qué hora te levantas normalmente?
2 ¿Hora / empezar las clases o el trabajo?
3 ¿Hora / terminar las clases o el trabajo?
4 ¿Hora / llegar a casa?
5 ¿Cómo / ir a la escuela o al trabajo?
6 ¿Hacer / después de cenar?
7 ¿Cuándo / ver / la televisión?
8 ¿Ducharse por la mañana o por la noche?
9 ¿Hora / acostarse / normalmente?
10 ¿Hora / levantarse / los domingos?
11 ¿Hora / acostarse / los sábados?
12 ¿Salir / los sábados por la noche?

Escribir

5 Write a paragraph about your classmate's life.

Michael es _____,

trabaja en _____.

Va al trabajo en _____.

Vocabulario

6 Where do they work? Write each profession in the correct column.

médico/a • estudiante • enfermero/a • cajero/a
informático/a • dependiente/a • secretario/a
profesor/a • cocinero/a • camarero/a

hospital	universidad	oficina

supermercado	restaurante

7 What does he / she do? Match up the columns.

1 El / La dependiente/a   a hace la comida.
2 El / La recepcionista   b cuida enfermos.
3 El / La auxiliar de vuelo c cobra a los clientes.
4 El / La enfermero/a   d atiende a los clientes.
5 El / La profesor/a   e enseña a los alumnos.
6 El / La cocinero/a   f atiende a los pasajeros.
7 El / La camarero/a   g recibe a los turistas.
8 El / La cajero/a   h vende ropa.

Hablar

8 Think of three or four famous people and discuss with your classmates what their job is, where they work, what they do...

Ángel es dependiente, trabaja en unos grandes almacenes, vende muebles…

9 In groups of four. One mimes a profession and the others guess what it is.

Vocabulario

1 What do you drink for breakfast?

- ☐ leche
- ☐ café (con leche)
- ☐ té (con limón)
- ☐ chocolate
- ☐ zumo de frutas
- ☐ _____

2 Now write in the correct letter.

1 té ☐
2 café con leche ☐
3 zumo de naranja ☐
4 magdalenas ☐
5 cereales ☐
6 leche ☐
7 huevo ☐
8 queso ☐
9 pan con tomate y aceite ☐

Escuchar

3 🔊31 Listen to these four people from different countries talking about their breakfast and complete the table.

	NACIONALIDAD	DESAYUNO
1 Philip	alemán	pan con mantequilla y salami y un huevo, o muesli con yogur, y té o café
2 Claudia		
3 Elizabeth		
4 Manuel		

4 In groups. Each one says what he / she has for breakfast on weekdays and on Sundays.

Yo, normalmente, solo tomo un café con leche y una magdalena, pero los domingos tomo un bocadillo de jamón y zumo de naranja, además del café con leche, claro.

Vocabulario

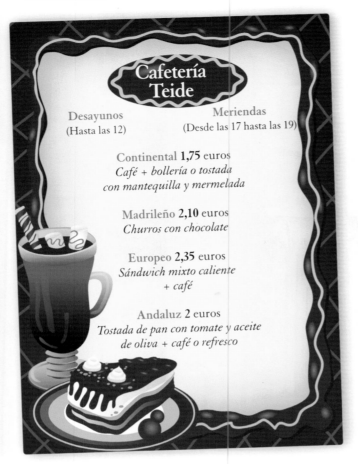

Cafetería Teide

Desayunos
(Hasta las 12)

Meriendas
(Desde las 17 hasta las 19)

Continental **1,75** euros
*Café + bollería o tostada
con mantequilla y mermelada*

Madrileño **2,10** euros
Churros con chocolate

Europeo **2,35** euros
*Sándwich mixto caliente
+ café*

Andaluz **2** euros
*Tostada de pan con tomate y aceite
de oliva + café o refresco*

Escuchar

5 Put the dialogue in the correct order.

Camarera:	Buenos días, ¿qué desean?	☐
Hijo:	Yo solo quiero un zumo.	☐
Madre:	Yo quiero un desayuno andaluz, ¿y tú, hijo?	☐
Hijo:	No, mamá, solo quiero un zumo de naranja.	☐
Madre:	Toma algo más: un bollo o una tostada.	☐
Madre:	Bueno, pues un andaluz y un zumo de naranja.	☐
Camarera:	Muy bien.	☐

6 🔊 32 Listen and check.

Hablar

7 In groups of three, look at the menu of Cafetería Teide and practise some conversations. One is the waiter or waitress and the other two want to order breakfast or a snack.

- ■ *¿Qué desean?*
- ● *Un desayuno continental, por favor.*
- ▼ *Yo, un café con leche y una tostada con mantequilla y mermelada.*

Pronunciación y ortografía

g / gu

1 🔊 33 Listen and repeat.

gato agua gota guerra guion

What sound is repeated in all these words?

El sonido /g/ se escribe **g** antes de **a, o** y se escribe **gu** antes de **e, i**.

2 Complete with g or gu.

1 __uapo
2 ci__arrillos
3 __itarra
4 __afas

5 pa__ar
6 __erra
7 __uatemala
8 __oma

3 🔊 34 Listen and repeat.

- ¿Sabes cuál es la comida más importante para los españoles?
- ¿Sabes a qué hora cenan en España?
- ¿Sabes a qué hora cierran las tiendas?

Leer

1 Read this text.

COMIDAS Y HORARIOS

El desayuno de los españoles normalmente es un café con leche acompañado de galletas, cereales, pan tostado o bollos. Muchas personas toman el desayuno en un bar o en una cafetería. En esos casos es muy popular el café o el chocolate con churros.

La comida se hace normalmente más tarde que en otros países: entre las dos y las cuatro de la tarde. Es la comida principal del día y muchos restaurantes tienen menús bastante baratos.

La cena también se hace más tarde que en otros países, entre las ocho y las diez de la noche aproximadamente.

La mayoría de las tiendas y los negocios están abiertos por las mañanas desde las diez hasta las dos de la tarde, y desde las cinco hasta las ocho. Sin embargo, en los últimos años hay muchas tiendas que abren durante todo el día.

2 Now answer true (T) or false (F).

1 Los españoles nunca desayunan en los bares. ☐
2 La mayoría de los españoles come fuera de casa. ☐
3 El horario de las comidas de los españoles es igual que el de los demás países europeos. ☐
4 Los españoles cenan bastante tarde. ☐
5 La mayoría de los negocios españoles no abren por la tarde. ☐
6 Hay muchas tiendas que no cierran a mediodía. ☐

Hablar

3 Discuss with your classmates.

1 ¿A qué hora se levanta la gente en tu país?
2 ¿A qué hora se acuesta?
3 ¿Cuál es el desayuno típico?
4 ¿Cuál es la comida más importante del día?
5 ¿A qué hora cenan?
6 ¿Qué horario tienen las tiendas?

Escuchar

4 🔊 35 Adriana is Argentinian and she tells us about life in Buenos Aires. Listen and answer the questions.

1 ¿A qué hora se levantan en Buenos Aires?
2 ¿A qué hora almuerzan* normalmente?
3 ¿Qué horario tienen las tiendas?
4 ¿Abren los bancos por la tarde?
5 ¿A qué hora cenan?
6 ¿Estudian los niños por la mañana y por la tarde?

* En Argentina el almuerzo equivale a la comida en España (el almuerzo en España es una comida ligera a media mañana, entre el desayuno y la comida)

Escribir

5 Write a paragraph about your daily routine. Use the verbs in the box.

> levantarse • ducharse • desayunar
> empezar • terminar • comer • volver
> cenar • acostarse • salir

Yo _me levanto_ a las _____. _Me ducho_ _____. _Salgo_ de casa _____.

Escuchar

6 🔊 36 Listen and complete.

Susana [1] _se levanta_ normalmente a las siete, [2] _____ _____, se viste, [3] _____ algo rápido y sale de casa a las [4] _____.
Su trabajo empieza a las nueve. Primero va a la compra y después prepara la [5] _____ para unas treinta personas.

¿Sabes a qué se dedica?

Es [6] _____.

Emilio [7] _____ _____ tarde porque no trabaja por la mañana. Desayuna un café con leche y dos [8] _____ mientras lee el periódico. Come pronto porque [9] _____ de casa a las tres.
Va a la [10] _____ en tren. Sus clases [11] _____ a las cuatro y terminan a las ocho de la tarde.

¿Sabes a qué se dedica?

Es [12] _____.

Jaime se levanta [13] _____ temprano porque prepara el [14] _____ de sus hijos y los lleva al colegio. Después va en [15] _____ a su trabajo, que está a las afueras de la ciudad. [16] _____ en unos grandes almacenes atendiendo a los clientes. Su [17] _____ es de nueve de la mañana a cinco de la tarde.
Cuando sale del trabajo, recoge a los [18] _____ y los lleva a casa.

¿Sabes a qué se dedica?

Es [19] _____.

Hablar

Alumno A (alumno B, see «En parejas»)

7 Ask B questions and complete the index card..

NOMBRE: _____
EDAD: _____
TRABAJO: _____
PAÍS: _____
CIUDAD: _____
LUGAR DE TRABAJO: _____
TRANSPORTE: _____
FAMILIA: _____

8 Answer B's questions.

NOMBRE: Elena Boschmonar
EDAD: 28 años
TRABAJO: Azafata
PAÍS: Uruguay
CIUDAD: Montevideo
LUGAR DE TRABAJO: Aerolíneas
TRANSPORTE: Autobús de la empresa
FAMILIA: Soltera. Vive con sus padres

3 AUTOEVALUACIÓN

1 Match up the questions and answers.

1 ¿A qué te dedicas?
2 ¿Qué horario tienes?
3 ¿Tienes algún día libre?
4 ¿Dónde trabajas?
5 ¿Cómo vas al trabajo?
6 ¿Estás casado?
7 ¿Cuántos años tienes?

a Soy bombero.
b En el Ayuntamiento.
c Sí, los domingos.
d No, estoy soltero.
e Trabajo de 9 a 5.
f 37.
g Voy en tren.

2 Write the verb.

1 empezar (él): *empieza*
2 volver (yo): _____
3 ir (nosotros): _____
4 empezar (vosotros): _____
5 ir (ellos): _____
6 volver (usted): _____
7 volver (tú): _____

3 Complete with the verb in parentheses in the present indicative.

1 Pepe *se ducha* con agua fría. (ducharse)
2 Celia _____ _____ a las once y media. (acostarse)
3 ■ ¿Tú _____ _____ todos los días? (afeitarse)
 ● No, solo los domingos.
4 Yo no _____ _____ en la piscina, prefiero la playa. (bañarse)
5 Mi hija tiene seis años y ya _____ _____ sola. (vestirse)
6 ¿A qué hora _____ _____ vosotros los domingos? (acostarse)
7 Luis y Rosa _____ _____ muy temprano. (levantarse)
8 ¿A qué hora _____ _____ tú? (levantarse)
9 Yo _____ _____ por la noche. (ducharse)

4 Complete with the correct preposition (a, de, desde, por, hasta).

1 Yo empiezo a trabajar _a_ las ocho _de_ la mañana.
2 José no trabaja _____ la tarde.
3 Paloma trabaja _____ las ocho _____ las tres.
4 Los domingos _____ la mañana voy al parque.
5 Los sábados _____ la noche voy _____ la discoteca.
6 Mi marido vuelve _____ casa _____ las ocho _____ la tarde.
7 Mi hija va _____ la escuela _____ la mañana y _____ la tarde.

5 Put the following dialogue in the correct order.

[1] ■ Buenos días, ¿qué desean?
[ ] ◆ No, no, no me gusta.
[ ] ◆ Yo un zumo de naranja y un sándwich mixto.
[ ] ● ¿No quieres café?
[ ] ● Yo quiero un café con leche y una tostada, ¿y tú?
[ ] ■ Muy bien.

6 Complete with the verb in parentheses in the present indicative.

Los horarios de los españoles (1) _____ (ser) diferentes a los de otros países, tanto en la ciudad como en el campo. La mayoría (2) _____ (levantarse) entre las siete y las ocho de la mañana y (3) _____ (acostarse) entre las doce de la noche y la una de la madrugada. Muchos de ellos dicen que no (4) _____ (dormir) lo necesario porque apenas superan las seis horas de sueño.

En las grandes ciudades la distancia entre la casa y el trabajo (5) _____ (ser) bastante grande, por eso la mayoría (6) _____ (ir) al trabajo en transporte público (metro o autobús). En general, los españoles (7) _____ (perder) entre noventa y ciento veinte minutos al día solo para ir al trabajo y volver a casa.

Los niños españoles (8) _____ (tener) muchas veces los mismos problemas que sus padres porque también (9) _____ (acostarse) más tarde y (10) _____ (dormir) menos horas de las necesarias. Los colegios españoles normalmente (11) _____ (empezar) a las nueve de la mañana, (12) _____ (tener) una pausa para comer a las trece horas y, por la tarde, (13) _____ (terminar) las clases a las cinco.

¿Qué sabes?

☺ ☻ ☹

· Hablar de rutinas.
· Hablar de horarios.
· Pedir un desayuno.
· Hablar de profesiones y del lugar de trabajo.
· Los verbos reflexivos.
· Las preposiciones *por / de / a / hasta / desde*.

La casa

4

- ·· Describing the parts of a house
- ·· Names of furniture and domestic appliances
- ·· Indicating place and existence
- ·· Making a booking at a hotel
- ·· **Culture:** Types of houses in Spain

Vocabulario

1 Where do you live?

- ☐ En un piso.
- ☐ En un chalé adosado.
- ☐ En un estudio.
- ☐ En un loft.
- ☐ En un ático.
- ☐ _____

2 🔘37 **Read and listen.**

Rosa y Miguel tienen una tienda de ropa en el centro de Madrid. Tienen dos hijos y viven fuera de la ciudad en un chalé adosado con dos plantas.

En la planta baja hay un recibidor, una cocina con un pequeño comedor, un salón grande y un aseo.

En la planta de arriba hay tres dormitorios y un cuarto de baño. La casa tiene también un jardín pequeño.

3 Read the statements and say if they are true (T) or false (F).

                                                       F

1 Rosa y Miguel trabajan fuera de Madrid. ☐
2 Viven al lado de su tienda. ☐
3 La cocina está en la planta baja. ☐
4 El salón es muy grande. ☐
5 La casa tiene un garaje. ☐
6 En la planta baja hay tres dormitorios. ☐
7 Los dormitorios están en el piso de arriba. ☐
8 No hay jardín. ☐
9 Hay un pequeño aseo en la planta baja. ☐
10 El salón está en la planta de arriba. ☐

4 🔘38 **Complete the following conversation between Rosa and her friend Laura. Then listen and check.**

Laura: ¿Cuántas [1] _____ tiene tu casa?
Rosa: Dos. Es un chalé adosado.
Laura: ¿Dónde está el [2] _____?
Rosa: En la planta de arriba. Y en la planta baja hay un pequeño aseo.
Laura: ¿Tiene [3] _____?
Rosa: Sí, uno pequeño, al lado de la cocina.
Laura: ¿Cuántos [4] _____ tiene?
Rosa: Tres, están todos en la planta de arriba.
Laura: ¿Tenéis [5] _____?
Rosa: No, aparcamos en la calle.

5 🔊 39 Listen to Manuel talking about his house.

1 ¿Cómo es el piso de Manu?
2 ¿Cuántos dormitorios tiene?
3 ¿Dónde está el cuarto de baño?
4 ¿Tiene terraza? ¿Cómo es?

6 In pairs, talk to your partner about your house: how many rooms there are, where they are... Draw a plan of your house in your notebook.

7 Write a description of your partner's house using the vocabulary in the box.

salón • comedor • cocina • jardín
cuarto de baño • dormitorio • garaje

La casa de _____ es pequeña / grande. Tiene _____ dormitorios.

Gramática

8 🔊 40 Listen and repeat.

ORDINAL NUMBERS			
1.º / 1.ª	primero/a	**6.º / 6.ª**	sexto/a
2.º / 2.ª	segundo/a	**7.º / 7.ª**	séptimo/a
3.º / 3.ª	tercero/a	**8.º / 8.ª**	octavo/a
4.º / 4.ª	cuarto/a	**9.º / 9.ª**	noveno/a
5.º / 5.ª	quinto/a	**10.º / 10.ª**	décimo/a

Comunicación

Los ordinales **primero** y **tercero** pierden la -o delante de un nombre masculino singular.

piso primero / primer piso
piso tercero / tercer piso

■ *¿Es la primera vez que estudias en esta facultad?*
● *No... Es el tercer año que repito este curso.*

■ *Vivo en el primer piso.*
● *Y yo en el tercero.*

9 Complete the sentences with an adjective from the box.

primera • tercera • quinta • segundo • primer

1 El ascensor está en el *primer* piso.
2 ■ ¿Luis, tú qué estudias?
  ● Estoy en _____ de Económicas.
3 ¡Qué impresionante! Es la _____ vez que veo el mar.
4 Nosotras somos tres hermanas, yo soy la _____ .
5 El departamento de contabilidad está en la _____ planta.

10 🔊 41 Listen and complete.

	PISO	PUERTA
1 Sr. González	4.º	*derecha*
2 Sra. Rodríguez		
3 Srta. Herrero		
4 Sr. Acedo		
5 Sr. de la Fuente		
6 Sres. Barroso		

11 Ask and answer with four classmates using the model below.

■ *¿En qué piso vives?*
● *En el cuarto derecha.*

a vitrocerámica   e armario   i mesa
b lavavajillas   f frigorífico   j silla
c fregadero   g horno
d lavadora   h microondas

a sofá   d librería   g lámpara
b sillón   e equipo de música   h cojín
c mesita   f televisión (TV)   i alfombra

a lavabo   c espejo   e bañera
b armario   d toalla

Vocabulario

1 Look at the photographs and complete the text with the words in the panels.

Esta es mi casa

Mi cocina es grande y luminosa y tenemos un (1) _frigorífico_ nuevo. Al lado hay un (2) _____ y debajo de este hay un (3) _____. Hay muchos (4) _____ y una (5) _____ con (6) _____ para desayunar.

En el salón-comedor tenemos un (7) _sofá_ muy cómodo y dos (8) _____ pequeños. Los libros están en una (9) _____ de madera que hay junto a una planta. En el centro del salón hay una (10) _____ y una (11) _____ blanca.

El cuarto de baño es bastante grande también. Hay una (12) _bañera_ y un armario. El (13) _____ está encima del (14) _____.

2 Complete the sentences using the correct form of the verbs in the box.

escuchar • guardar • ver • lavarse
ducharse • dormir • calentar
comer • ~~hacer~~ • leer

1 En la cocina tú _haces_ la comida.
2 En el cuarto de baño tú ___ _____.
3 En el salón tú _____ la televisión.
4 En el comedor tú _____.
5 En el dormitorio tú _____.
6 En el salón tú _____ música.
7 En los armarios de la cocina tú _____ los platos y las tazas.
8 En el cuarto de baño tú ___ _____ los dientes.
9 En el salón tú _____ los libros de lectura.
10 En el microondas tú _____ la comida.

ARTICLES

Definite: **el** / **la** / **los** / **las**

- Para algo que conocemos.
  *¿Dónde está **el** gato?*

Indefinite: **un** / **una** / **unos** / **unas**

- Para algo que mencionamos por primera vez.
  *Hay **un** gato en el jardín.*

3 Say which article is correct in each case.

1 *El / Un* ordenador está en mi dormitorio.
2 En mi clase hay *un / el* mapa del mundo.
3 ¿Hay *la / una* película buena en la tele?
4 *Los / Unos* libros están en mi mochila.
5 En el patio hay *unos / los* niños.
6 *Las / Unas* llaves están en la mesa de la cocina.
7 *La / Una* bañera está en el cuarto de baño.
8 En la cocina hay *el / un* fregadero.

HAY AND *ESTÁ(N)*

HAY + un, una, unos, unas + noun
*En el cuarto de baño **hay** una toalla.*

HAY + muchos/as, pocos/as, algunos/as... + noun
Hay muchos armarios en la cocina.

HAY + dos, tres, cuatro ... + noun
*En el salón **hay** dos sillones.*

HAY + noun
*¿**Hay** café en la cocina?*

el, la, los, las + noun + ESTÁ(N)
*El café **está** en el armario de la cocina.*

ESTÁ(N) + preposition
*El espejo **está** encima del lavabo.*

ESTÁ + proper noun
- *¿**Está** Juan?*
- *No, está en casa de sus abuelos.*

4 Complete the sentences with *hay / está / están*.

1 Perdone, ¿hay un supermercado cerca de aquí?
2 Por favor, ¿dónde _____ los cines Ideal?
3 Mañana no _____ clase, es fiesta.
4 No _____ agua en la botella.
5 El comedor _____ al lado de la cocina.
6 ¿Dónde _____ las llaves?
7 ¿_____ Jesús en la oficina?
8 ¿_____ leche en la nevera?

5 Describe what there is in your kitchen, bedroom, bathroom and living room. Compare your description with your partner's.

6 🔊42 Listen to the information about houses for sale and fill in the table.

	metros	dormitorios	baños
1			
2			
3			

7 Look at the photograph for thirty seconds.

Now close your book and describe the things in the living room and say where they are. Compare your results with those of your classmates.

Who got the most things right?

> *Hay una planta. Está encima de la mesita.*

■ *Making a booking at a hotel*

Vocabulario

1 Match up the words with the symbols of the hotel's facilities.

1 piscina [e]
2 habitación individual ☐
3 habitación doble ☐
4 restaurante ☐
5 tarjetas de crédito ☐
6 garaje ☐

2 📀43 Listen and complete the dialogue.

Recepcionista: Parador de Córdoba, ¿dígame?
Carlos: Buenas tardes. ¿Puede decirme si hay habitaciones libres para el próximo fin de semana?
Recepcionista: Sí. ¿Qué desea, una habitación [1] _____ o [2] _____ ?
Carlos: Una doble, por favor. ¿Qué precio tiene?
Recepcionista: [3] _____ por noche más IVA.
Carlos: De acuerdo. Hágame la reserva, por favor.
Recepcionista: ¿Cuántas noches?
Carlos: [4] _____ y [5] _____, si es posible.
Recepcionista: No hay problema.
Carlos: ¿Hay [6] _____?
Recepcionista: Sí, señor, hay una.
Carlos: ¿Admiten tarjetas de crédito?
Recepcionista: Sí, por supuesto.

3 Practise the dialogue with your partner.

4 📀44 Listen to the end of the previous dialogue and complete the booking slip.

HOTEL

Nombre: *Carlos*
Apellidos:
Dirección:
Ciudad:
N.º de teléfono:
Sencilla o doble:
N.º de noches:

Leer

5 🔊45 Read and listen.

Los patios

Los patios son lugares comunes para encontrarse, para jugar, para charlar, para descansar.

Hay muchos tipos de patios: el patio del colegio, donde los niños pasan el recreo; el patio andaluz, en el sur de España, lleno de macetas con flores, que en verano protege del calor y es un lugar de descanso y de conversación.

En las ciudades tenemos el patio interior, donde la gente tiende la ropa y habla con los vecinos de enfrente.

En Hispanoamérica muchas casas coloniales conservan bellos patios llenos de plantas tropicales que ayudan a pasar las horas más calurosas del día.

En la ciudad andaluza de Córdoba, el segundo fin de semana de mayo se celebra el Festival de los Patios. Los vecinos abren sus casas, y vecinos y turistas pueden visitar sus hermosos patios.

6 True (T) or false (F)?

1 En los colegios hay un patio. [V]
2 En las ciudades no hay patios. ☐
3 En los patios coloniales hay plantas tropicales. ☐
4 Córdoba está en el norte de España. ☐
5 El Festival de los Patios de Córdoba es el 1 de mayo. ☐
6 Los turistas siempre pueden visitar los patios cordobeses. ☐

Pronunciación y ortografía

c / qu

1 🔊46 Listen and repeat

queso   cuarto   cuanto
quinto   casa   comedor

2 Which sound is repeated in all these words?

El sonido /k/ se escribe **qu** antes de **e, i** y se escribe **c** antes de **a, o, u**.

3 Complete with *qu* or *c*.

1 __uando
2 __ién
3 __uatro
4 tran__ilo
5 __ocina
6 __erer
7 __ímica
8 __omer

9 médi__o
10 E__uador
11 pe__eño
12 __inientos
13 __ampo
14 a__ostarse
15 pelu__ero
16 __uince

Hablar

1 Where can you find the homes that you see in the photographs? Discuss with your partner.

1 En un pueblo. ☐   3 En la montaña. ☐
2 En una ciudad. ☐   4 En la playa. ☐

Leer

2 Read the texts and match them up with the photographs.

¿En el norte o en el sur?

1 En el sur de España, Andalucía, las casas son blancas y con terrazas. Muchas tienen un patio y están decoradas con plantas y flores. ☐

2 En el norte, la mayoría de las casas son de piedra, con gruesos muros para protegerlas del frío y tejados inclinados para evitar la acumulación de nieve y agua. La mayoría tiene una huerta para cultivar los productos de la tierra. ☐

3 En la costa mediterránea hay muchas viviendas destinadas al turismo: pequeñas urbanizaciones de chalés y apartamentos y grandes hoteles se mezclan con las viviendas tradicionales. ☐

4 Una gran parte de la población vive en las ciudades. En ellas encontramos bloques de pisos y apartamentos. Las urbanizaciones de chalés adosados son cada vez más frecuentes en las afueras de la ciudad. ☐

3 Complete the sentences.

1 Andalucía está _____.
2 En los patios andaluces hay _____.
3 En el norte de España muchas casas _____.
4 En la costa mediterránea hay _____.
5 En las ciudades mucha gente _____.

4 Answer the questions.

1 ¿En qué zona de España muchas casas tienen patio?
2 ¿De qué material son las casas del norte de España?
3 ¿Dónde hay muchos apartamentos, chalés y hoteles?
4 ¿Dónde vive la mayoría de la población?
5 ¿Dónde se encuentran los chalés adosados?

Hablar

5 Imagine that you are on holiday somewhere in Spain. Answer your partner's questions.

1 ¿En qué parte de España estás?
2 ¿En qué tipo de casa?
3 Describe la casa.

Escribir

6 Write an email to your family or a friend describing the house where you are staying. Use ideas from the previous activity.

Escuchar

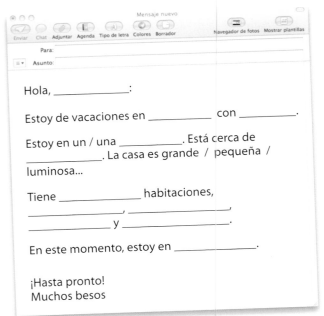

```
Mensaje nuevo

Enviar  Chat  Adjuntar  Agenda  Tipo de letra  Colores  Borrador      Navegador de fotos  Mostrar plantillas

Para:
Asunto:

Hola, _____:

Estoy de vacaciones en _____ con _____.

Estoy en un / una _____. Está cerca de
_____. La casa es grande / pequeña /
luminosa...

Tiene _____ habitaciones,
_____, _____,
_____ y _____.

En este momento, estoy en _____.

¡Hasta pronto!
Muchos besos
```

7 🔊 47 Listen to the interview with Patricia and choose the correct alternative.

1 ¿Con quién pasa Patricia las vacaciones?
  a) Con su marido y sus hijos.
  b) Con su amigo Juan y su mujer.
  c) Con su marido, su amigo Juan y su mujer.

2 ¿Dónde se aloja?
  a) En un hotel.
  b) En un *camping*.
  c) En su casa.

3 Su casa es:
  a) un chalé.
  b) un apartamento.
  c) un piso.

4 ¿Dónde pasa las vacaciones?
  a) En la montaña.
  b) En la playa.
  c) En un crucero en el mar.

5 Su casa tiene:
  a) tres dormitorios y dos baños.
  b) dos baños y dos dormitorios.
  c) tres dormitorios y un baño.

6 También tiene:
  a) garaje y terraza.
  b) jardín y garaje.
  c) jardín y terraza.

Hablar

Alumno A (alumno B, see «En parejas»)

8 Ask B for the information missing in the Hotel Miramar's advert.

1 ¿En qué planta están: *el restaurante, la recepción, la peluquería, el garaje?*
2 Pregunta el precio de la habitación individual: *¿Cuánto cuesta …?*
3 Pregunta el horario del desayuno: *¿A qué hora se puede desayunar?*

9 Answer B's questions.

Hotel *Miramar*

Quinta planta: Cafetería
Cuarta planta: _____
Tercera planta: Sauna y gimnasio
Segunda planta: _____

Primera planta: Salón de conferencias
Planta Baja: _____
Sótano: _____

Precios
Habitación individual: _____
Habitación doble: 145 €

Comidas
Desayunos: _____
Comidas: de 13 a 15 h
Cenas: de 20 a 23 h

1 In what part of the house would you normally find these things?

1 cama: _en el dormitorio_
2 microondas: _____
3 sillones: _____
4 equipo de música: _____
5 espejo: _____
6 lavavajillas: _____
7 bañera: _____
8 televisión: _____

2 What is there in these rooms?

1 salón-comedor	_sillones,_	
2 cocina		
3 dormitorio		
4 cuarto de baño		

3 Complete the following series of ordinals.

Primero, _____ , tercero,

_____ , _____ ,

sexto, _____ , octavo, noveno,

_____ .

4 Choose the correct form.

1 En la clase *hay / están* muchos estudiantes.
2 En mi casa la televisión no *hay / está* en el salón.
3 *Hay / Está* una cafetería aquí cerca.
4 ¿Dónde *hay / están* las llaves?
5 En la nevera *hay / está* carne.
6 La información *hay / está* en internet.
7 ¿Dónde *hay / está* el bolígrafo rojo?

5 Complete with *un / una / unos / unas / el / la / los / las*.

1 Esta noche no salimos. Nos quedamos en casa y ponemos _una_ película de vídeo.
2 En _____ cocina hay cosas para comer. Podemos hacer _____ bocadillos.
3 ■ ¿Tienes queso?
   ● Sí, hay _____ paquete en _____ nevera.
4 ■ ¿Hay jamón?
   ● No, pero tengo _____ anchoas muy ricas.
5 ■ ¿Ponemos _____ poco de tomate?
   ● Sí, aquí hay _____ tomate bastante grande.
6 ■ ¿Dónde están _____ servilletas?
   ● En _____ cajón de la derecha.
7 ■ ¿Quieres _____ cerveza?
   ● No, prefiero _____ refresco.
8 Aquí están _____ vasos pequeños.

6 Match each question up with its answer.

1 ¿Qué tipo de habitación desea?
2 Buenas tardes, ¿hay habitaciones libres?
3 ¿Admiten tarjetas de crédito?
4 ¿Para cuántas noches?
5 ¿Cuál es el precio de la habitación?

a Para el fin de semana.
b Sí, por supuesto.
c Una doble.
d Con desayuno, 90 euros.
e Sí, tenemos una individual y dos dobles.

7 Write out the dialogue from the previous activity in your notebook in the correct order.

¿Qué sabes?

☺ ☺ ☹

· Describir las partes de la casa.
· Los números ordinales del 1.º al 10.º.
· La diferencia entre *hay* y *está*.
· Reservar una habitación en un hotel.
· Escribir sobre las vacaciones.

Comer

5

·· Ordering food in a restaurant
·· Talking about likes
·· Leisure activities
·· Understanding a recipe
·· **Culture**: Meals in Spain and Spanish America

■ *Ordering food in a restaurant*

1

2   3

Vocabulario

1 Do you know any Spanish dishes? Write the names with the appropriate photos.

> gazpacho • tortilla de patatas
> arroz a la cubana

2 48 Look at the menu from La Morenita restaurant, then listen to the dialogue and complete the table.

	TERESA	JUAN
primer plato	*ensalada mixta*	
segundo plato		
bebida		
postre		

3 Look at the menu and choose what you'd like to have for the first course, second course, dessert and to drink. Then, in groups of three, practise several times: one of you is the waiter and the other two customers.

Comunicación

- ¿Qué van a tomar de primero?
- Yo de primero quiero…
- Pues yo…
- ¿Y de segundo? (…)

- ¿Qué quieren para beber? (…)
- ¿Y de postre? (…)
- ¿Me trae la cuenta, por favor?
- Sí, ahora mismo.

Mesón restaurante
La Morenita
Patio cordobés

Primeros
- Sopa de fideos
- Paella
- Judías verdes con jamón
- Ensalada mixta
- Gazpacho

Segundos
- Carne con tomate
- Lubina al horno
- Huevos con chorizo
- Filete de pollo a la plancha

Postres
- Helado de vainilla, chocolate o fresa
- Natillas
- Arroz con leche

Bebidas
- Vino de la casa
- Refresco
- Cerveza
- Agua mineral

12 €
incluido pan, bebida y café

CARDENAL GONZÁLEZ, 220 - Tel. 957 48 70 99
CÓRDOBA   www.lamorenita.es

4 Match up the names with the objects.

1 taza ☐   7 cuchara ☐
2 tenedor ☐   8 vaso ☐
3 cucharilla ☐   9 servilleta ☐
4 copa ☐   10 jarrón ☐
5 cuchillo ☐   11 plato ☐
6 mantel ☐   12 jarra ☐

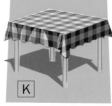
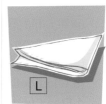

5 Complete with the correct word.

1 una *copa* de vino
2 una _____ de café
3 una _____ para la sopa
4 un _____ de agua
5 un _____ de flores
6 una _____ de agua
7 un _____ para la sopa
8 un _____ para la mesa

Hablar

6 Practise with your partner.

■ *¿Me trae una servilleta, por favor?*
● *Sí, ahora mismo.*

Leer

7 💿49 Read and listen.

Hoy comemos fuera

En España, comer es algo que nos gusta compartir con amigos, familiares, compañeros de trabajo o estudio. Para la mayoría de los españoles es más importante la compañía que el tipo de restaurante. Al escoger un restaurante preocupa la higiene, la calidad de los alimentos y la dieta equilibrada. En un país como España, con un clima agradable, de largos días con luz, el comer o cenar fuera de casa es un hábito extendido.

Es durante los días festivos cuando más se visitan bares y restaurantes.

8 Say if these statements are true (T) or false (F).

1 A los españoles les gusta comer solos. [F]
2 Cuando comen fuera de casa les gusta hacerlo con familiares y amigos. ☐
3 Para los españoles lo más importante es el tipo de restaurante. ☐
4 Los restaurantes están más llenos los días laborables. ☐
5 Los españoles con frecuencia cenan fuera de casa. ☐

Hablar

9 Answer these questions and then ask your partner.

1 ¿Te gusta comer fuera de casa?
2 ¿Qué comes habitualmente fuera de casa: bocadillos, tapas, comidas completas, comida rápida (hamburguesa, salchichas…)?
3 ¿Cuántas veces al mes sales a comer o cenar?
4 ¿Meriendas todos los días? ¿Qué meriendas?

- *Talking about likes*
- *Leisure activities*

Vocabulario

1 Do you like the cinema? What kind of films do you like? Discuss with your classmates.

a) **las comedias**   d) **las películas románticas**   g) **las películas de ciencia-ficción**

b) los dramas   e) **las películas policíacas**   h) las películas de aventuras

c) **los musicales**   f) las películas de terror

- *A mí me gustan las películas de terror y de ciencia-ficción.* ☺
- *Pues a mí no me gustan las películas de terror.* ☹

2 Match up the activities with the drawings.

1 bailar ☐   7 navegar por internet ☐
2 montar en bicicleta ☐   8 nadar ☐
3 andar ☐   9 jugar al fútbol ☐
4 ir de compras ☐   10 escuchar música ☐
5 escribir un *blog* ☐   11 leer ☐
6 pintar ☐   12 viajar ☐

 A
 B
 C
 D
 E
 F
 G
 H
 I
 J
 K
 L

3 🔊 50 Listen to Elena talking about her own and her husband's likes. Write Sí or No in the table.

	ELENA	LUIS
el cine		
andar por el campo		
ir de compras		
navegar por internet		
leer		
el fútbol		
la música		

Gramática

THE VERB *GUSTAR*		
(a mí)	**me**	
(a ti)	**te**	
(a él / ella / Ud.)	**le**	gusta(n)
(a nosotros / as)	**nos**	
(a vosotros / as)	**os**	
(a ellos / ellas / Uds.)	**les**	

*A Elena **le gusta** viajar.*

*A Jaime **le gustan** los deportes.*

*A nosotros no **nos gusta** el fútbol.*

4 Complete the sentences with a pronoun (*me, te, le...*) and *gusta* or *gustan*.

1 A María <u>le gusta</u> mucho nadar.
2 A mi marido _____ _____ ir al cine.
3 A mí no _____ _____ las películas de terror.
4 A los españoles _____ _____ mucho salir y hablar con los amigos.
5 A nosotros _____ _____ los animales.
6 ¿A vosotros _____ _____ la música tecno?
7 ¿A Ud. _____ _____ la paella?
8 ¿A ti ___ _____ los deportes de riesgo?
9 A mis padres no ___ _____ el teatro, prefieren el cine.
10 A Jorge no ___ _____ nada estudiar.

+ Me **encanta** escuchar música.
  Me gusta **mucho** cocinar.
  Me gusta **bastante** leer.
  No me gustan **mucho** los deportes.
  No me gusta bailar.
− **No** me gusta **nada** ir de compras.

5 Write three sentences about your likes.

Me gusta mucho...

• *Me encanta el cine.* ☺
■ *A mí **también**.* ☺
▲ *Pues a mí **no**.* ☹
• *No me gusta montar en bicicleta.* ☹
■ *A mí **tampoco**.* ☹
▲ *Pues a mí **sí**.* ☺

6 Ask your classmates about their likes. Use the vocabulary from activity 2.

■ *¿Os gusta el cine?*
• *A mí no mucho, me gusta más leer.*
▲ *A mí tampoco.*

7 Write sentences with your classmates' answers.

A Peter no le gusta mucho el cine, pero le gusta / encanta leer.
A Nadia no le gusta nada andar, prefiere ir a la discoteca.

Leer

8 Read the ads on the right and answer the questions.

1 ¿Quién estudia en la universidad?
2 ¿A quién le gusta la fotografía?
3 ¿Quién es de Argentina?
4 ¿A quiénes les gustan los videojuegos?
5 ¿Cómo se llama el madrileño?
6 ¿Quién va a la playa habitualmente?

9 Write an ad on a piece of paper, but don't put your name, and give it to your teacher. You have to discover who wrote the ads as your teacher shows them.

Me llamo **Marisol**, tengo 26 años y estoy soltera. Estudio Economía y trabajo en un gimnasio de mi barrio. Me gusta viajar, conocer sitios nuevos y chatear. Busco amigos para viajar juntos por España. **Sevilla**.

Me llamo **Miguel**, tengo 25 años. Estudio Artes Gráficas en un instituto. Me encanta jugar al fútbol, jugar con videojuegos, ir a la discoteca… Busco chicos y chicas con aficiones similares. **Madrid.**

Me llamo **Tiago**, soy brasileño, de Río de Janeiro. Me gusta ir a la playa, navegar por internet, jugar con videojuegos… También me gusta ver partidos de baloncesto en la tele. ¿Por qué no me escribes? **Río de Janeiro.**

Me llamo **Olga**, tengo 32 años y soy periodista Trabajo en el periódico local de mi pueblo. Me gusta el cine, salir de copas, bailar tangos y hacer fotografías de las ciudades que visito. Escríbeme. **Buenos Aires.**

Vocabulario

1 Do you like cooking? What can you make?

2 Complete the list of ingredients for a banana milkshake using the words in the box.

azúcar • hielo • limón • leche • vainilla • plátanos

Batido de plátano

Ingredientes:

3 _____

1 vaso de _____

1/4 de taza de _____

1/4 de taza de zumo de _____

1/2 cucharadita de _____

8 cubitos de _____

3 Put the instructions in the correct order.

a Añade los cubitos de hielo y mézclalos con los otros ingredientes. ☐

b Pela los plátanos y córtalos en rodajas. ☐1

c Reparte la mezcla en cuatro vasos. ☐

d Mezcla los plátanos, la leche, el azúcar, el zumo de limón y la vainilla en una batidora. ☐

e Invita a tus amigos. ☐

4 🔘51 Listen and check.

Gramática

IMPERATIVE	cortar	comer	abrir
tú	corta	come	abre
usted	corte	coma	abra

The **imperative** is used to give orders and instructions, to ask favours and to make recommendations.

5 Complete the following instructions on leading a healthy life. Use the verbs in the box in the imperative.

caminar • tomar • descansar
comer • evitar • ~~beber~~

Si quieres llevar una vida sana, sigue estas instrucciones.

Todos los días

1 _Bebe_ más de un litro de agua.

2 _____ tres piezas de fruta.

3 _____ durante media hora.

4 _____ más de siete horas.

5 _____ fumar.

6 _____ bebidas sin alcohol.

6 Write as orders (*tú* and *usted*) and practise aloud.

1 Hablar más bajo.
Habla más bajo, por favor. (tú)
Hable más bajo, por favor. (usted)

2 Escribir tu / su nombre.
3 Terminar el trabajo.
4 Abrir la puerta.
5 Cerrar la ventana.
6 Escuchar lo que digo.
7 Tomar más verduras.
8 Ordenar tu / su cuarto.
9 Añadir azúcar al zumo.
10 Limpiar la mesa.

7 In your notebook, write the recipe for your favourite salad. Then tell your partner how you make it.

Escuchar

8 Where do you think these products come from originally?

¿Productos de América?

Muchos de los alimentos que se comen hoy en el mundo proceden de América: el maíz, el cacao, el aguacate... Pero también hay productos que se consumen en América y que son de origen europeo: la uva, la naranja, el limón... ¿De dónde son originarios estos productos?

1 **la piña**
☐ Hawái
☐ Cuba y Puerto Rico

2 **el cacahuete** (maní)
☐ Georgia (Estados Unidos)
☐ Bolivia y Perú

3 **el tomate**
☐ México
☐ Italia

4 **el plátano**
☐ Ecuador
☐ África

5 **el café**
☐ África
☐ Brasil

6 **la patata**
☐ Perú y Ecuador
☐ Irlanda

9 🔊52 Listen and check.

Pronunciación y ortografía

b / v

1 🔊53 Listen and repeat.

Isabel *vivir* **vino** *bueno* **Ávila** *viajar*
botella *abuelo* **hablar** *muy bien* **beber**

b and *v* are pronounced exactly the same.

2 🔊54 Listen and repeat.

1 ¿Dónde vive Isabel?
2 Cuba es una isla preciosa.
3 Vicente es abogado y trabaja en Sevilla.
4 Las bebidas están en la nevera.
5 Este vino es muy bueno.
6 Valeriano viaja mucho en avión.
7 Beatriz es de Venezuela.
8 Esta bicicleta es muy barata.
9 En Valencia no hay bastantes ambulancias.
10 La abuela de Bibiana está muy bien.

3 Complete with *b* or *v*.

1 Yo ___i___o en ___arcelona.
2 Este ___atido tiene ___ainilla.
3 Camarero, un ___aso de agua, por fa___or.
4 A Isa___el le gusta ___iajar y ___ailar tangos.
5 ___e___er agua es muy ___ueno.
6 ¿Este ___erano ___as de ___acaciones?
7 La ___otella está ___acía.
8 El ___anco a___re a las nue___e.

4 🔊55 Listen and repeat.

5 🔊56 Listen and underline the word you hear.

1 pala / bala
2 poca / boca
3 parra / barra
4 peso / beso
5 pino / vino
6 pera / vera
7 paca / vaca
8 pisa / visa
9 pata / bata
10 pez / vez

Leer

1 Read these adverts for restaurants and then answer the questions.

1 ¿En qué estación de metro está el restaurante peruano?
2 ¿En qué restaurante podemos celebrar una reunión con nuestra familia o de negocios?
3 ¿Qué tipo de comida ofrece el restaurante Vida natural?
4 ¿Dónde podemos comer carne argentina?
5 ¿Dónde podemos tomar tapas?
6 ¿Dónde podemos comer pescado?
7 ¿Qué restaurantes ofrecen aparcacoches?
8 ¿Cuánto cuesta el menú en Casa Pepe?
9 ¿Dónde podemos tomar pizza?
10 ¿Qué restaurante tiene platos asturianos?

RESTAURANTE PERUANO
LA LLAMA
Probablemente la mejor comida peruana en Madrid

sabrosos platos peruanos

San Francisco, 12 (Detrás Hotel Sol) Metro Sol
Teléfonos: 91 654 20 82 / 91 654 20 83 • 28050 Madrid
www.restaurante_lallama.com

La Estancia
Asador restaurante

Único sabor criollo en España

Carnes elaboradas al estilo autóctono de la campiña argentina

Cabrito Carnes Argentinas Lechón Carnes gallegas Pescados a la brasa

Aparcacoches

C/ Petunias, 66 Tel.: 93 730 20 39
Barcelona   www.asadorlaestancia.com

Vida natural
Restaurante vegetariano
Cocina vegetariana con productos ecológicos de la región
Nuestras especialidades:
sopas, ensaladas, pasta, pizzas y gran variedad de postres.

C/ Constitución, 112 - Tel.: 986 25 32 95 (Pontevedra)
www.vidanatural.es

RESTAURANTE
la *Alpujarra*

• Pescaditos fritos
• Pescados al horno y a la sal
• Carnes rojas

Pza. Granada, 4 Tel.: 958 00 34 20
Granada
(Aparcacoches)
www.rest_laalpujarra.es

EL PÁDEL
Cocina mediterránea

• Menú degustación
• Pinchos
• Tapas
• Menús diarios para empresas
• Salones para reuniones familiares y de negocios

Parking a 50 metros
C/ Marquesa de Toledo, 5 (Segovia)
Tel.: 921 34 05 22
www.rest_elpadel.es

Menú diario: 10 €

CASA PEPE
Pollo asado - Queso de cabrales
Chorizo a la sidra - Callos caseros
Fabada asturiana

C/ Infanta, 54 - Tel.: 949 31 50 92
Guadalajara
www.casapepe.com

Escuchar

2 Look at the maps, listen and match the dish with the country or region.

1 México
2 Perú
3 Argentina
4 Colombia y Venezuela
5 Galicia
6 Valencia
7 Andalucía
8 Asturias

a paella
b cebiche
c arepas
d fabada
e carne asada
f gazpacho
g guacamole
h pescado y marisco

Escribir

3 Write a paragraph about a typical dish from your country or region.

En mi ciudad, los platos más típicos son: …
Este plato está elaborado con estos ingredientes: …

Hablar

Alumno A (alumno B, see «En parejas»)

4 Ask B about his / her likes.

¿Te gusta el chocolate?
¿Te gustan las piñas?

	MUCHO	BASTANTE	NO MUCHO	NADA
el chocolate				
las piñas				
el cordero asado				
el café con leche				
las patatas				
la carne				
el queso				
la fruta				
las ensaladas				

5 Answer B's questions about your likes.

Sí, mucho. / Sí, bastante. / No, no mucho. / No, nada.

1 We're going to put together a menu using the ingredients in the box. What are the main ingredients of the dishes on the menu?

> huevos • tomates • arroz • pollo • leche
> gambas • pepinos • calamares • azúcar
> aceite • vinagre • pimientos

MENÚ

1er plato
GAZPACHO: <u>tomates</u>, _____,
_____, _____,
_____.

2.º plato
PAELLA: _____,
_____, _____,
_____.

Postre
FLAN: _____, _____,
_____.

2 Make up a menu with typical dishes from your country and make a list of the ingredients that you will need.

3 Fill in the gaps with the correct pronouns (me, te, le, nos, os, les).

1 A ellos <u>les</u> gusta la música clásica.
2 A nosotros _____ gusta salir de noche.
3 A su hermana _____ gusta la paella.
4 A mí no _____ gustan los toros.
5 ¿A ti _____ gusta el fútbol?
6 ¿A vosotros _____ gustan las gambas?
7 A Luisa no _____ gusta viajar.

4 Make sentences as in the example.

1 Rosa / no gustar / animales
  A Rosa no le gustan los animales.

2 Ellos / gustar / salir
3 Nosotros / gustar / ver la tele
4 Yo / no gustar / fútbol
5 ¿Tú / gustar / flan?
6 Pepe / no gustar / la fruta
7 ¿Vosotros / gustar / nadar?

5 Write in an imperative to complete the orders that Maribel gives her son.

1 ¡<u>Baja</u> la tele! (bajar)
2 ¡_____ más verdura! (comer)
3 ¡_____ la ventana de tu dormitorio! (abrir)
4 ¡_____ una nota para tu profesor! (escribir)
5 ¡_____ cuando te hablo! (escuchar)
6 ¡_____ a tu hermana! (ayudar)
7 ¡_____ más leche! (beber)

6 Match up the questions with the answers.

1 ¿Qué desea para beber? [d]
2 ¿Y de segundo? ☐
3 ¿Me deja la carta, por favor? ☐
4 ¿Y de postre? ☐
5 ¿Qué quiere el señor de primero? ☐
6 ¿Desea algo más? ☐

a Sí, ahora mismo. Un momento.
b Una sopa de fideos, por favor.
c Un helado de vainilla.
d Agua mineral.
e No, muchas gracias.
f Pollo con patatas.

7 Write out the dialogue from the previous activity in your notebook in the correct order.

¿Qué sabes?

· Pedir en un restaurante.
· Hablar de gustos.
· Hablar del tiempo libre.
· Comprender y dar instrucciones sencillas.

El barrio

6

- ·· Asking for information about using public transport
- ·· Giving instructions
- ·· Asking favours
- ·· Describing the neighbourhood where we live
- ·· **Culture**: Spanish cities

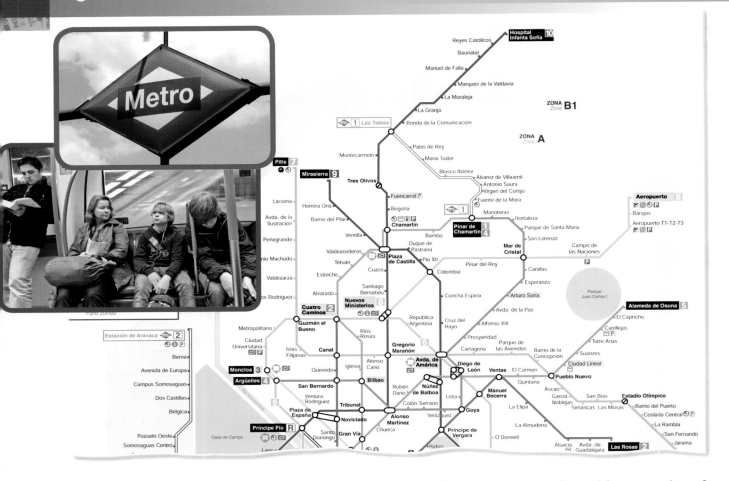

Escuchar

1 Look at the drawing and answer the question. What are Sergio and Beatriz doing?

a Están llamando a un taxi.
b Están comprando un billete de metro.
c Están sacando su coche del aparcamiento.

2 Complete the conversation with expressions from the box.

> ¿Cuánto es? • cómo se va • Puede darme
> décima estación • dos billetes de metro

Sergio: Perdone, queremos (1) _____, por favor.
Taquillero: ¿Sencillos o de diez viajes?
Sergio: Sencillos. (2) _____
Taquillero: 10 euros.
Sergio: Aquí tiene. Perdone, ¿puede decirme (3) _____ de Aeropuerto a Goya?
Taquillero: Pues desde aquí es muy fácil: tome usted la línea 8 hasta Mar de Cristal y cambie a la línea 4 dirección Argüelles. La (4) _____ es Goya.
Sergio: Muchas gracias. ¿(5) _____ un plano del metro?
Taquillero: Sí, claro, tome.

3 ⊙58 Listen and check.

4 ⊙58 Listen again and mark the route on the map of the Madrid metro.

5 Read the dialogue in activity 2 again and complete the following table.

FORMAL (USTED)
■ (1) _____ ¿cómo se va de Aeropuerto a Goya?
● (2) _____ la línea 8 hasta Mar de Cristal, allí (3) _____ a la línea 4 dirección Argüelles.

INFORMAL (TÚ)
■ Perdona, ¿cómo voy / se va de Aeropuerto a Goya?
● Toma la línea 8 hasta Mar de Cristal, allí cambia a la línea 4 dirección Argüelles.

6 Notice the difference between *tú* and *usted*.

Hablar

7 Look at the map again, notice the stations highlighted in yellow and practise with your partner.

> De Aeropuerto a Arturo Soria

> De Cuatro Caminos a Fuencarral

> De Nuevos Ministerios a Ciudad Lineal

> De Bilbao a Fuencarral

> De Avenida de América a Aeropuerto

- ■ *Perdona, ¿cómo se va de Aeropuerto a Arturo Soria?*
- ● *Toma la línea 8 hasta Mar de Cristal, allí cambia a la línea 4 dirección Argüelles. Es la tercera parada.*

Leer

8 Read the text and answer the questions.

Madrid en Metro

El metro de Madrid tiene unos 290 kilómetros. En total hay 12 líneas y 300 estaciones. El horario de servicio al público es de seis de la mañana a una y media de la madrugada, todos los días del año.

Durante las horas de cierre del metro existe un servicio de autobuses nocturnos que salen de la plaza de Cibeles.
Hay dos tipos de billetes, además del abono transportes: el billete sencillo, que solo tiene un viaje, y el metrobús o billete de diez viajes, que también puede utilizarse en el autobús.

Los billetes se pueden comprar en las taquillas o en las máquinas del metro. El metrobús también se puede comprar en quioscos y estancos.

www.ctm-madrid.es
www.metrodemadrid.es

1 Son las seis y media, tienes que ir al trabajo, ¿está abierto ya el metro? ¿Desde qué hora?
2 Son las dos de la madrugada, ¿puedes volver a casa en metro? ¿Por qué? ¿Puedes volver en autobús?
3 ¿Cuántas veces puedes usar el billete sencillo?
4 ¿Cómo se llama el billete de diez viajes?
5 ¿Puedes usar el metrobús en el autobús?
6 ¿Dónde se compra el metrobús?

Gramática

1   🔊 59   Listen and match up the drawings with the sentences.

1   ■ Carlos, siéntate en tu sitio, por favor.
   ● Voy.   ☐ j

2   ■ Venga a mi oficina, quiero hablar con usted.
   ● Ahora mismo.   ☐

3   ■ Pon la televisión, empieza el partido.
   ● Vale.   ☐

4   ■ Cierra la ventana, por favor, tengo frío.
   ● Sí, claro.   ☐

5   ■ Tome la primera a la derecha y después siga recto.
   ● Muchas gracias.   ☐

6   ■ Tuerce a la derecha, esa es la calle.
   ● Ah, sí, tienes razón.   ☐

7   ■ Haz los deberes antes de cenar.
   ● Vale, mamá.   ☐

8   ■ Por favor, siéntese. Ahora lo atiende el doctor.
   ● Bien, gracias.   ☐

9   ■ ¿Dígame?
   ● ¿Está el señor López?   ☐

10   ■ Alejandro, contesta al teléfono, por favor.
   ● Vale.   ☐

a

b

c

d

e

f

g

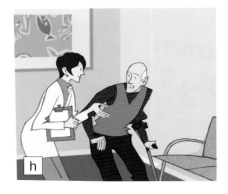
h

i

j

IRREGULAR IMPERATIVE			
hacer	poner	venir	seguir
haz	pon	ven	sigue
haga	ponga	venga	siga
torcer	cerrar	sentarse	decir
tuerce	cierra	siéntate	di
tuerza	cierre	siéntese	diga

2 Complete with the verb in the imperative.

1 El hospital está muy cerca, (torcer, tú) _tuerce_ a la derecha por esa calle y luego (seguir, tú) _____ todo recto.

2 (Hacer) _____ tú la ensalada, mientras yo pongo la mesa.

3 ¡Carlos! (Venir, tú) _____ a tu habitación ahora mismo.

4 (Cerrar, tú) _____ la puerta, por favor, hay mucho ruido.

5 Pedro, (decir, tú) _____ la verdad. No me gustan las mentiras.

6 (Sentarse, usted) _____ un momento, ahora vuelvo.

7 Señor Ramírez, (poner) _____ el informe en la carpeta roja.

8 (Hacer, usted) _____ el trabajo este martes, por favor.

3 Complete with the verbs in the box.

hacer • sentarse • poner • pasar • cerrar

Jefe: Señor Hernández, ¿puede venir a mi oficina, por favor?

Señor Hernández: Sí, claro.

[...]

Señor Hernández: ¿Se puede?

Jefe: Sí, sí, (1) _pase_ y (2) _____ la puerta, por favor… (3) _____. Tengo una reunión en el banco el próximo lunes y necesito la información de su departamento.

Señor Hernández: No hay problema, está todo preparado.

Jefe: Bien, (4) _____ el informe antes del lunes y (5) _____ todos los datos de este año.

4 🔊60 Listen and check.

Comunicación

+ DIRECTO	− DIRECTO
Ven un momento. Haga ya la comida.	¿Puedes venir un momento? ¿Puede hacer ya la comida?

5 Change these sentences as in the example.

1 Venga a mi oficina.
¿Puede venir a mi oficina?

2 Pon la televisión, empieza la película.

3 Cierre la ventana, por favor.

4 Hoy haz tú la cena.

5 Dime la hora, por favor.

6 Salga a la pizarra, por favor.

7 Pásame la sal. Está al fondo del armario.

8 Enciende el ordenador. Hay mucha información en internet.

9 Despiérteme a las 8, por favor.

10 Llame a Luis la semana próxima.

Escribir

6 Think of a classmate who is sitting some distance away from you and write down a request for him / her. Then read it out aloud.

Para Svieta:
Déjame tu diccionario, por favor.
    Olga.

You can ask him / her to:

Abrir / Cerrar la ventana.

Prestar dinero / un bolígrafo / un lápiz / un diccionario.

Sentarse más cerca de ti.

Encender / Apagar la luz.

Esperar a la salida de clase.

Leer

1   What is your neighbourhood like? Is it noisy or quiet? Is it near where you work or where you learn Spanish? Or is it a long way away?

2   Read the emails.

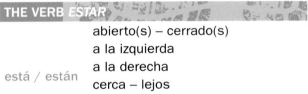

Para: eva@gmail.com
Asunto: Re:mi nuevo piso

¡Por fin tengo piso! Está en un barrio céntrico pero tranquilo. Me encanta, es muy bonito. Es un poco pequeño, solo tiene dos habitaciones, pero no me importa. Toma nota: está en la calle Colón, n.º 25 – 3.º izquierda. ¿Puedes venir esta tarde?
Clara

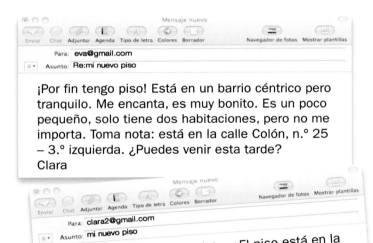

Para: clara2@gmail.com
Asunto: mi nuevo piso

Vale, voy esta tarde a las siete. ¿El piso está en la calle Colón y es tranquilo? Me extraña, esa es una calle muy ruidosa. ¿Cómo voy desde mi casa? Creo que no hay ninguna parada de autobús cerca, ¿no? Bueno, mejor voy en metro, es más rápido.
Eva

3   Answer the questions.

1 ¿Cómo es el piso de Clara?
2 ¿Dónde está?
3 ¿Qué piensa Eva de la calle Colón?
4 ¿Cómo va a ir Eva a visitar a Clara?

Gramática

THE VERB *SER*	
es / son	grande(s) – pequeño(s)
	tranquilo(s) – ruidoso(s)
	rápido(s) – lento(s)
es	bueno / malo

THE VERB *ESTAR*	
está / están	abierto(s) – cerrado(s)
	a la izquierda
	a la derecha
	cerca – lejos
	en la calle…
	enfrente de…
está	bien / mal

4   Underline the correct form.

1 El piso *es / está* en un barrio céntrico y *es / está* pequeño, solo tiene dos habitaciones.
2 Su casa *es / está* en la calle Goya, enfrente de la estación del metro.
3 El metro *es / está* más rápido que el autobús.
4 Fumar no *es / está* bueno.
5 El hospital *es / está* lejos de mi casa, en un barrio que *es / está* muy tranquilo porque *es / está* a las afueras de la ciudad.
6 Este ejercicio *es / está* mal.
7 Esta escuela *es / está* al lado de la parada del autobús.
8 Mi casa no *es / está* muy grande.
9 ¿*Son / Están* tus hijos en el colegio?
10 El banco *está / es* enfrente de mi oficina. Por las tardes no *es / está* abierto.

5 Make sentences using elements from each column.

Los coches
Esta calle
Los billetes de metro
La parada de autobús
La estación de metro
Las calles
Mi barrio

es
está
están
son

tranquilo
baratos
lejos
ruidosa
cerca de mi casa
muy tranquila
en el garaje
estrechas

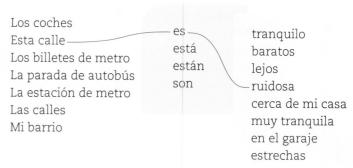

Hablar

6 In pairs. Talk to your partner about your neighbourhood.

- ¿Te gusta?
- ¿Es tranquilo o animado?
- ¿Tiene mucho tráfico?
- ¿Está bien comunicado (autobús, metro, etc.)?
- ¿Tiene tiendas?

Pronunciación y ortografía

r / rr

1 🔊 61 Listen and repeat.

rey arroz **perro** reloj **rojo** arriba **caro**
pero **diario** soltera **para**

The strongly trilled /rr/ sound is written *r* at the
beginning of a word and *rr* between two vowels. The
single-tap /r/ sound is always written *r*.

2 🔊 62 Listen and complete with *r* or *rr*.

1 ___oma
2 Inglate___a
3 Pe___ú
4 carte___o
5 compañe___o

6 ___osa
7 piza___a
8 te___aza
9 arma___io
10 ___uido

3 Dictate these tongue-twisters to your partner.

*El perro de san Roque no tiene rabo porque
Ramón Rodríguez se lo ha cortado.*

*Erre con erre, guitarra; erre con erre, barril;
rápido ruedan las ruedas del ferrocarril.*

El barrio de **Malasaña**

1. Este barrio de Madrid es famoso por su ambiente alternativo y su vida nocturna. Es tan popular como el barrio de Camden Town de Londres, el East Village de Nueva York o el Barrio Alto de Lisboa.

2. Está situado entre las paradas de metro de Chueca y San Bernardo.

3. Por las noches, las calles de Malasaña, así como sus numerosos bares, *pubs* y restaurantes, se llenan de gente. Por eso, muchos vecinos del barrio se quejan del ruido y la suciedad que originan los visitantes.

4. El barrio debe su nombre a la joven costurera Manuela Malasaña, asesinada por las tropas napoleónicas durante la defensa de la ciudad de Madrid el 2 de mayo de 1808.

5. En el centro del barrio se sitúa la Plaza del Dos de Mayo, donde durante el día juegan los niños de la zona y por las noches se reúnen jóvenes de toda la ciudad.

Leer

1 Read the text "El barrio de Malasaña" and match the paragraphs with the following topics.

- **a** vida nocturna ☐
- **b** barrios famosos ☐
- **c** día a día en el barrio ☐
- **d** su historia ☐
- **e** localización ☐

2 True or false?

1 Malasaña es un barrio tranquilo. ☐
2 No podemos ir a los restaurantes de Malasaña en metro. ☐
3 Todos los vecinos de Malasaña se quejan del ruido. ☐
4 La plaza del Dos de Mayo debe su nombre a la batalla de los madrileños contra los franceses en 1808. ☐
5 Los niños juegan por las noches en la plaza del Dos de Mayo. ☐

Escuchar

3 🔊63 Listen and complete the conversation about Palma de Mallorca between Andrés and Pilar.

1 Pilar está muy _____ en Palma.
2 Palma de Mallorca es una ciudad _____ y _____.
3 Está al lado del _____.
4 Tiene calles _____ y una _____.
5 Pilar se mueve por la ciudad en _____ y en _____.
6 Habitualmente el tiempo es _____.
7 Pilar vive con _____.
8 Algunos fines de semana Pilar _____.
9 Otros fines de semana va con sus amigos a conocer _____ y _____.
10 Andrés no va ahora a Palma de Mallorca porque _____.

Escribir

4 Read the text, paying attention to the use of *y*, *pero* and *porque*.

Santiago de Compostela

Santiago de Compostela es una ciudad situada en el noroeste de España. Tiene una población de unos 100 000 habitantes. Es una ciudad muy turística.

Me gusta Santiago porque es una ciudad muy acogedora y con muchas cosas interesantes para conocer. Lo que más me gusta es el barrio antiguo, donde está la catedral románica, rodeada de plazas medievales con agradables terrazas y calles porticadas llenas de tiendas, bares y restaurantes. No tiene metro, pero tiene una buena red de autobuses.

Puedes venir a esta ciudad, después de recorrer el Camino de Santiago, andando, en bicicleta o a caballo. Pero puedes llegar más rápido en avión porque tiene un aeropuerto moderno, al que llegan aviones de todo el mundo.

5 Complete the sentences with *y*, *pero* or *porque*.

1 Me gustan sus restaurantes _____ sus tiendas.
2 Tiene autobuses _____ no tiene metro.
3 Voy a llevar el paraguas _____ llueve mucho.
4 Mi ciudad es pequeña _____ tranquila.
5 Madrid tiene un río _____ no tiene playa.
6 Este barrio es pequeño _____ tiene muchas tiendas.
7 Me gusta Madrid _____ es muy grande.

6 Write a description of a city. You can use the sentences in the box.

- Es una ciudad situada en el norte / sur / oeste / este de…
- Tiene una población de…
- Lo que más me gusta es…
- Hay muchos / pocos músicos, teatros, cines, discotecas…
- Es (muy) tranquila / pequeña / grande…

Hablar

7 In groups of three, each student chooses a profession from the box. The other two make a list of tips (using the imperative) on how to be a true professional.

deportista • profesor/a • médica
peluquero/a • taxista • bailarín/a

Para ser un buen deportista:
- *haz ejercicio todos los días*
- *come pasta todos los días*
- *bebe mucha agua*
- *duerme ocho horas diarias*
- *…*

1 Complete this note that Juan writes to a workmate. Use the verbs in the box.

> guardar • **hacer** • conectar
> apagar • cerrar

Carlos:
Me marcho dentro de diez minutos. El informe está en mi mesa, por favor (1) _haz_ las fotocopias y (2)_____ todo en el primer cajón. Después (3)_____ el despacho con llave y (4)_____ la alarma. Ah, antes de salir, (5)_____ todas las luces.
Gracias por todo,
  Juan

2 Match up the opposite adjectives.

1 ruidoso — a antiguo
2 bueno — b caro
3 barato — c tranquilo
4 bonito — d pequeño
5 rápido — e malo
6 nuevo — f viejo
7 grande — g lento
8 moderno — h feo

3 Complete with the correct form of *ser* or *estar*.

1 Mi piso nuevo _es_ bastante grande.
2 Esa oficina _____ bastante lejos de aquí.
3 Las fotocopias no _____ bien.
4 La catedral _____ en el centro.
5 Mi barrio _____ antiguo.
6 Este restaurante _____ muy ruidoso, no me gusta nada.
7 Las llaves _____ en el cajón.
8 Federico no _____ en su casa.
9 Luisa _____ muy amable.
10 Este barrio _____ muy céntrico.

4 Read and say if the statements are true (T) or false (F).

Para: Gloria@hotmail.com
Cc:
Asunto: Vacaciones
Cuenta: YOLANDA <Yolanda@wanadoo.es>

Querida Gloria:
Te escribo desde La Habana. Esta ciudad es fantástica. Mi hotel está en un barrio precioso que se llama El Vedado. Se puede pasear tranquilamente por sus calles, hay mercadillos de artesanía, algunas tiendas y restaurantes, y está al lado del mar. La mayoría de las casas son de una o dos plantas y de muchos colores: azules, amarillas, de color rosa… Otro barrio interesante es La Habana Vieja, que es la zona más antigua. Tiene algunos edificios (la catedral, el hotel Inglaterra, el Capitolio) muy bien conservados. Las calles son más estrechas y hay bastante tráfico, pero es muy agradable pasear por allí, tomar un helado y sentarse en cualquiera de las plazas.
¡Tengo muchas fotos!
Besos,
Yolanda

1 El hotel de Yolanda está en La Habana Vieja. ☐
2 El Vedado está al lado del mar. ☐
3 En El Vedado hay muchos edificios altos. ☐
4 La catedral está en La Habana Vieja. ☐
5 En la zona antigua no hay tráfico. ☐

5 Write a paragraph about your neighbourhood.

¿Es grande / pequeño / no muy grande?
¿Tiene mucho / poco tráfico?
¿Hay muchas / pocas / bastantes tiendas?
¿Cómo son los edificios: nuevos / antiguos?

¿Qué sabes? ☺ ☺ ☹

- Preguntar cómo ir en metro de un lugar a otro. ☐ ☐ ☐
- Dar instrucciones y pedir favores. ☐ ☐ ☐
- Describir un barrio. ☐ ☐ ☐
- La diferencia entre *ser* y *estar*. ☐ ☐ ☐
- Escribir sobre una ciudad. ☐ ☐ ☐

Salir con los amigos

7

·· Talking on the phone
·· Arranging to meet someone
·· Talking about things that are happening
·· Physical and character descriptions
·· **Culture**: Young Spanish and Spanish-American people and their free time.

¿Dónde quedamos?

Hablar

1 Do you like to go out with your friends? Where do you go? Talk about this with your classmates.

al fútbol **a la discoteca**

al cine a casa de otros amigos

Cuando salgo con mis amigos voy a...

2 🔘64 Read and listen.

Madre: ¿Sí, dígame?
Pedro: ¿Está Antonio?
Madre: Sí, ¿de parte de quién?
Pedro: Soy Pedro.
Madre: Enseguida se pone.
(...)
Antonio: ¿Pedro?
Pedro: ¡Hola, Antonio! ¿Qué haces?
Antonio: Nada, estoy viendo la tele.
Pedro: ¿Vamos al cine esta tarde?
Antonio: Venga, vale, ¿y qué ponen?
Pedro: Podemos ver la última película de Almodóvar, ¿no?
Antonio: ¡Estupendo! ¿Cómo quedamos?
Pedro: ¿A las siete en la puerta del metro?
Antonio: No, mejor a las ocho. ¿De acuerdo?
Pedro: Vale. ¡Hasta luego!

3 Now answer the questions.

1 ¿Qué van a hacer Antonio y Pedro?
2 ¿Dónde quedan?
3 ¿A qué hora?

4 Complete the dialogues. Use the expressions in the boxes.

> Lo siento • Te parece bien
> Vienes conmigo • no puedo

■ ¿Sí?
● ¿Está Alicia?
■ Sí, soy yo.
● ¡Hola! Soy Begoña.
■ ¡Hola! ¿Qué hay?
● Voy a salir de compras esta tarde.
  ¿(1) _____?
■ (2) _____ , hoy (3) _____ ,
  tengo mucho trabajo.
  Mejor mañana.
● Bueno, vale. ¿A qué hora?
  ¿(4) _____ a las seis?
■ Sí, de acuerdo.
● Hasta mañana.

> ¿Te parece bien? • lo siento • ¿por qué no te vienes?

■ ¿Diga?
● Hola, Ángel, soy Rosa.
■ ¿Qué tal?
● Muy bien. Te llamo porque Luis y yo vamos a ir el sábado a Segovia, (5) _____
■ ¿El sábado? No puedo, (6) _____ , es el cumpleaños de mi madre y voy a comer a su casa. Pero podemos quedar después. ¿Por qué no venís a casa a cenar?
● ¿A cenar el sábado? Vale, se lo digo a Luis y, si podemos, luego te llamo. (7) _____
■ Estupendo. Espero tu llamada.
● Hasta luego.
■ Hasta luego.

5 🔘65 Listen and check.

6 In the dialogues in activity 4, mark the expressions used to accept a suggestion and complete the table.

INVITAR	ACEPTAR
¿Quedamos mañana?	Bueno, vale.
¿Te parece bien a las seis?	
¿Por qué no venís a casa a cenar?	
¿Te parece bien?	

Comunicación

Rechazar una propuesta

– Lo siento, no puedo, tengo mucho trabajo.
– No puedo, ¿te parece bien mañana?
– No, mejor a las ocho.

Hablar

7 Imagine that you live in Madrid. Practise with your classmates using these prompts.

PROPUESTA	¿CUÁNDO?
a ir al teatro	mañana
b comer	el sábado
c tomar una copa	esta noche
d jugar al billar	esta tarde
e ir al cine	este domingo

¿DÓNDE?	¿HORA?
a Plaza Mayor	18:00 h
b Mesón Madrid	14:30 h
c Cine Ideal	23:15 h
d Metro Callao	20:30 h
e Cine Princesa	17:45 h

- ¿Vamos al teatro mañana?
- Vale. ¿Dónde quedamos?
- En la plaza Mayor. ¿Te parece bien?
- Sí, ¿a qué hora?
- A las seis.
- Vale. ¡Hasta luego!
- ¡Hasta luego!

8 Put the following telephone conversation in the correct order.

- No está en este momento. ¿Quiere dejarle un recado? ☐
- Muy bien, le dejo una nota. ☐
- Inmobiliaria Miramar. Buenos días. ☐
- Muchas gracias. Adiós. ☐
- Adiós. ☐
- Sí, por favor, dígale que la señora García va mañana a las once y media para hablar con él. ☐
- Buenos días. ¿Puedo hablar con el señor Álvarez? ☐

9 🔘·66 Listen and check.

Comunicación

Dejar recados

- No está en este momento. ¿Quiere dejarle un recado?
- Sí, por favor, dígale que...

Hablar

10 Practise the following telephone conversations with your classmates.

Estudiante A:
1 Llamas a Pepe para ir al cine.
2 Llamas a Julia para quedar para ir al cine.
3 Llamas a Borja y quedas para ir al cine.

Estudiante B:
1 Eres el padre de Pepe, y Pepe no está en su casa.
2 Eres Julia, no puedes ir al cine.
3 Eres Borja, te apetece ir al cine y quedas con tu compañero.

Gramática

1 Look at the drawing and say if the following statements are true (T) or false (F).

1 El chico del bañador amarillo está duchándose. ☑
2 El señor con gafas de sol está leyendo el periódico. ☐
3 La señora del bañador verde está abriendo la sombrilla. ☐
4 Los chicos de la toalla blanca están jugando a las cartas. ☐
5 La joven del sombrero rojo está paseando. ☐
6 Una señora está durmiendo sobre la tumbona. ☐
7 Dos señoras están hablando en la orilla. ☐
8 Un grupo de chicas está jugando a la pelota. ☐
9 La chica del bañador rosa está secándose el pelo. ☐
10 La señora pelirroja está peinándose. ☐

ESTAR + GERUND	
estoy	
estás	
está	hablando
estamos	
estáis	
están	

Infinitive	Gerund
llorar	llorando
comer	comiendo
escribir	escribiendo

IRREGULAR GERUNDS	
leer	leyendo
dormir	durmiendo

2 Look at the drawings and say what the people are doing. Look at the example.

1 dormir / escuchar
No está durmiendo, está escuchando música.

2 escribir / pintar

3 hablar / cantar

4 estudiar / ver la tele

5 leer / navegar
   en internet

6 discutir / hablar

ESTAR + GERUND (REFLEXIVE VERBS)

Estoy lavándo**me**. / **Me** estoy lavando.

Estás lavándo**te**. / **Te** estás lavando.

Está lavándo**se**. / **Se** está lavando.

Estamos lavándo**nos**. / **Nos** estamos lavando.

Estáis lavándo**os**. / **Os** estáis lavando.

Están lavándo**se**. / **Se** están lavando.

3 Complete the sentences using the correct reflexive pronoun.

1 ▪ Rosa, ¿qué estás haciendo?
  ● ¿Ahora mismo? Estoy peinándo<u>me</u> porque voy a salir.

2 ▪ ¡Luis, al teléfono!
  ● ¡No puedo, estoy duchándo_____!

3 ▪ Niños, ¿qué hacéis?
  ● ¡Nada, mamá, _____ estamos lavando las manos!

4 ▪ ¡Qué ruido hacen los vecinos!
  ● Sí, están levantándo_____ ahora porque salen de viaje.

5 ▪ ¡Hola! ¿Está Roberto?
  ● Sí, pero está afeitándo_____ , llama más tarde.

6 ▪ ¿Y Clara? ¿Dónde está?
  ● En el baño, está duchándo_____.

7 ▪ Joana, ¿qué haces?
  ● _____ estoy pintando para salir.

8 Pero hija, ¿todavía _____ estás vistiendo? Vas a llegar tarde al colegio.

9 ▪ ¿Está libre el baño?
  ● No, Jordi _____ está bañando.

10 ▪ ¿Qué haces, Laura?
  ● _____ estoy lavando los dientes, enseguida acabo.

4 🔊 **67** Listen and check.

Pronunciación y ortografía

Intonation in exclamations

1 🔊 **68** Listen and repeat.

¡Vale! ¡Hasta luego! ¡Qué bien!
¡Qué va! ¡Qué bonito!
¡Es horrible! ¡Estupendo!

2 🔊 **69** Listen to the following sentences and react using one of the previous exclamations.

1 *¡Qué va!* _____   5 _____
2 _____   6 _____
3 _____   7 _____
4 _____

3 🔊 **70** Now listen and check.

Vocabulario

1 Indicate the physical characteristics of these people.

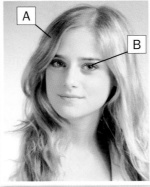

1 pelo largo y rubio ☐
2 pelo corto y moreno ☐
3 ojos claros ☐
4 ojos oscuros ☐
5 bigote ☐
6 barba ☐

2 🔊·71 Now, using these physical characteristics, complete the descriptions of the two people in activity 1. Then listen and check.

1 Tiene el _____ largo y rubio. Tiene los _____ verdes. ¡No tiene _____!
2 Tiene los _____ oscuros. Tiene el _____ corto y la _____ negra.

Comunicación

es	joven ≠ mayor alto/a ≠ bajo/a delgado/a ≠ gordo/a calvo
tiene	el pelo largo / corto / rubio / moreno / castaño el pelo liso / rizado los ojos azules / marrones / oscuros ≠ claros
lleva/ tiene	gafas / barba / bigote

4 Describe these two people. Do you know who they are?

3 🔊·72 Listen to some physical descriptions and say which person is being described.

A   B   C   D

5 Think of a classmate and write down some notes about his / her physical appearance, but do not put their name.

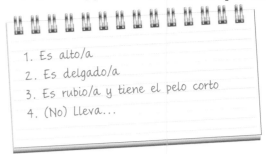

1. Es alto/a
2. Es delgado/a
3. Es rubio/a y tiene el pelo corto
4. (No) Lleva…

6 Use your notes to describe the person aloud to the rest of the class. Do your classmates know who it is?

Vocabulario

7 Match up the opposites.

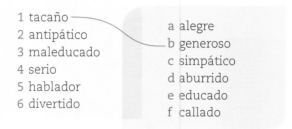

1 tacaño
2 antipático
3 maleducado
4 serio
5 hablador
6 divertido

a alegre
b generoso
c simpático
d aburrido
e educado
f callado

8 Which word would you use to describe the character of these people?

1 Nunca gasta dinero.
2 Nunca habla.
3 Siempre está hablando.
4 Siempre está sonriendo.
5 Actúa con mucha educación.
6 Hace muchos regalos.

9 Complete the paragraph using the words in the box.

gusta • gustan (x2) • es • favorita • odia • generosas

Dolores Fuentes es periodista. Ella dice que (1) _es_ simpática, alegre y muy habladora. Le gustan las personas (2) _____. En su tiempo libre le (3) _____ mucho pasear por la playa y mirar el mar. Su comida (4) _____ es el cocido madrileño, que normalmente toma con una copa de vino tinto.
Dos de sus aficiones son: el cine y la música clásica. Le (5) _____ mucho las películas antiguas, su favorita es *Tiempos modernos*, de Charlie Chaplin.
(6) _____ las guerras y tampoco le (7) _____ nada las personas antipáticas y maleducadas.

Hablar

10 First, read the questions and then ask your partner. Use the vocabulary you have learnt.

1 ¿Cómo eres tú? *Simpático y hablador.*
2 ¿Cómo te gustan las personas?
3 ¿Qué tipo de personas no te gustan?
4 ¿Qué prefieres hacer en tu tiempo libre?
5 ¿Cuál es tu comida preferida?
6 ¿Cuál es tu bebida preferida?
7 ¿Cuál es tu deporte favorito?
8 ¿Qué tipo de música prefieres?
9 ¿Cuál es tu película favorita?

Escribir

11 Write a paragraph similar to the one in activity 9 about your partner.

Fátima es simpática y generosa.
Le gustan las personas alegres…

Escuchar

12 🎧73 Do you know the song *Guantanamera*? Listen to it. Note down the phrases that you know and with your classmates, try to write out the whole song.

Los sábados por la noche

Para los jóvenes la noche del sábado es muy especial.
No tienen que estudiar, no tienen que trabajar, no tienen que aprender los verbos irregulares... Entonces, ¿qué hacen los sábados por la noche?
Depende. No todos tienen los mismos gustos.

Tomás
dieciocho años, Costa Rica

Conozco a muchas chicas de mi edad, pero normalmente prefiero salir con mis amigos. Hay muchas cosas que nos gusta hacer juntos. Cuando tenemos suficiente dinero vamos al cine o a una cafetería. Si no, vamos a la casa de otro amigo y escuchamos música.

Carolina
diecisiete años, Perú

Yo no salgo mucho porque mis padres son muy estrictos. Casi nunca me dan permiso para salir de noche. Así que me quedo en casa viendo la televisión.

Rafael
veintitrés años, Alicante

Yo siempre salgo con mi novia y mis amigos. Normalmente vamos al cine y a tomar algo. A veces nos reunimos en casa de alguien y jugamos con los videojuegos.

Leer

1 Read the text above and say if the statements are true (T) or false (F).

1 Los jóvenes tienen que estudiar los sábados por la noche. ☐
2 No todos los jóvenes tienen los mismos gustos. ☐
3 Tomás, algunas veces, va al cine. ☐
4 Carolina se queda en casa, viendo la televisión. ☐
5 Rafael sale solo con sus amigos. ☐

Hablar

2 In groups of four, talk to your classmates.

- ¿Sales a menudo los sábados por la noche?
- ¿Con quién sales?
- ¿Adónde te gusta ir?
- ¿Sales los domingos?
- ¿Sales solo/a o con tus amigos?

Escuchar

3 🎧74 A radio programme wants to know what people in Madrid do at the weekend. Listen to the two interviews and tick who does what.

	ELLA	ÉL
1 Los sábados por la tarde va al cine.	☐	☐
2 Los sábados por la mañana juega al fútbol.	☐	☐
3 Los viernes por la noche sale con sus amigas.	☐	☐
4 Los viernes por la noche va al cine.	☐	☐
5 Los domingos va al Rastro o visita una exposición.	☐	☐
6 El domingo duerme casi todo el día.	☐	☐

Escribir

4 Tick the leisure activities that you normally do.

ir al cine / teatro ☐   bailar ☐   ver la tele ☐

cenar fuera de casa ☐   salir con los amigos ☐   leer ☐

ver una película en internet ☐   practicar algún deporte ☐

jugar con los videojuegos ☐   invitar a amigos a mi casa ☐

tocar un instrumento de música ☐   conectarme a internet ☐

5 Which do you do during the week and which at the weekend?

DÍAS LABORABLES	FINES DE SEMANA

6 Who do you do them with?

con mi familia
con mis compañeros
con mis amigos
yo solo

7 With all the previous information, write a short text about your leisure activities. Use the words in the box.

los días laborables • siempre
los fines de semana • normalmente
nunca • además • también

7 AUTOEVALUACIÓN

1 Look at the entertainments section of a newspaper and find the answers to the questions.

ESPECTÁCULOS			
TELEVISIÓN	**CINE**	**TEATRO**	**MÚSICA**
viernes La 2, 22 h: Documental *Exiliados*.	Cine Ideal, 22.30 h: *La piel que habito*, de Pedro Almodóvar.	Teatro Lope de Vega, 23 h: *El fantasma de la Ópera* (musical).	Palacio de Vistalegre, 21.30 h: *Nabucco*, de Verdi.
sábado Canal+, 22.30 h: *Katmandú, un espejo en el cielo*, de Iciar Bollain.	Cinema Azul, 20 h: *Chico & Rita*, de Javier Mariscal y Fernando Trueba.	Teatro Albéniz, 22.30 h: *La Gaviota*, de Chejov.	Casa Patas, 24 h: *Concierto flamenco*.
domingo Antena 3, 20.30 h: *Fútbol*, Real Madrid-Barcelona.	Cine Princesa, 20.15 h: *Güelcom*, de Yago Blanco.	Teatro Fígaro, 22.30 h: *Bodas de sangre*, de García Lorca.	Palacio de Congresos, 21 h: Concierto de David Bisbal.

a ¿Qué ponen en la tele el viernes?
b ¿Dónde ponen El *fantasma de la Ópera*?
c ¿Qué podemos ver en Casa Patas?
d ¿A qué hora empieza la película de Iciar Bollain?
e ¿Qué equipos juegan al fútbol el domingo por la tarde?
f ¿Qué película podemos ver el domingo?
g ¿Qué obra ponen en el Teatro Fígaro?
h ¿Quién canta el domingo en el Palacio de Congresos?

2 Read the conversation and fill in the gaps.

■ El hermano de Luisa me gusta mucho, siempre está sonriendo y puedo hablar con él de todo.
● Es verdad. Luisa dice que hace regalos a todo el mundo y que tiene muchos amigos.
■ Sin embargo su novio es completamente distinto, no le gusta nada gastar dinero y tampoco habla mucho.
● Sí, es muy serio, pero siempre se comporta con mucha educación y a ella eso le gusta.

El hermano de Luisa es (1) _____, (2) _____ y (3) _____.
El novio de Luisa es (4) _____, (5) _____ y (6) _____.

3 Describe what the people in the drawing are doing. Use the verbs in the box.

reír • comer • discutir • escuchar • hablar

Ana se está riendo.

· Hablar por teléfono.
· Concertar una cita.
· Hablar de acciones en desarrollo.
· Describir personas.

84 ochenta y cuatro

De vacaciones

8

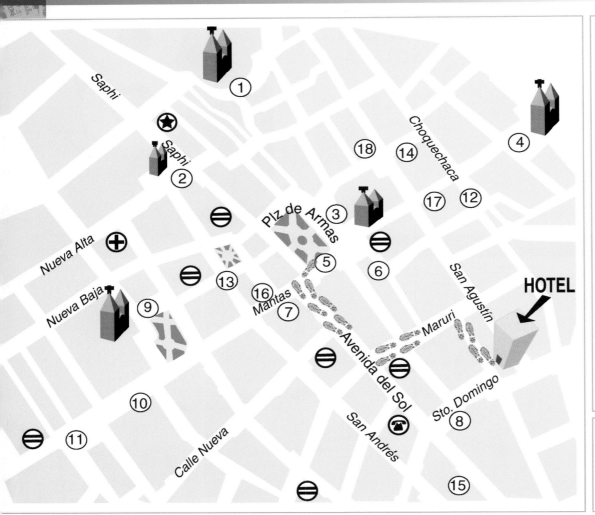

1 San Cristóbal
2 Santa Teresa
3 Catedral
4 San Blas
5 La Compañía
6 Santa Catalina
7 La Merced
8 Santo Domingo
9 San Francisco
10 Santa Clara
11 San Pedro
12 Piedra de los 12 Ángulos
13 Casa de Garcilaso
14 Monasterio de Nazarenas
15 Centro de Arte Nativo
16 Oficina de Correos
17 Museo de Arte
18 Museo Arqueológico

⊜ Farmacia
☎ Central telefónica
⊕ Posta sanitaria*
★ Estación de policía

*Dispensario

Hablar

1 Look at the map of Cuzco and find the following:

una farmacia   una posta sanitaria

la iglesia de San Francisco

la oficina de correos   el Museo de Arte

2 Write sentences as in the example.

Hay una farmacia en la calle…
La iglesia de San Francisco está en la calle…

Comunicación

| sigue (siga) todo recto | gira (gire) a la izquierda | gira (gire) a la derecha | toma (tome) la 2.ª a la derecha |

3 🔊75 Luis is in the hotel and he wants to go to the Plaza de Armas. Read and listen to the dialogue.

Luis: Buenos días, perdone, ¿puede decirme cómo se va a la plaza de Armas?

Recepcionista: Sí, ¡cómo no! Es muy sencillo. Al salir del hotel gire a la derecha y siga todo recto hasta el final de la calle. Entonces gire a la izquierda. Siga recto y tome la tercera calle a la derecha, la avenida del Sol, y al final de la avenida, a la derecha, se encuentra la plaza de Armas.

Luis: Entonces, salgo a la derecha, giro a la izquierda y en la avenida del Sol giro a la derecha. La plaza está al final de la calle, a la derecha, ¿no es así?

Recepcionista: Así es, señor. En quince minutos puede estar allí.

Luis: Muchas gracias. ¡Hasta luego!

4 Look at the map and complete the dialogues.

1 Desde el hotel:
- Perdone, ¿puede decirme dónde está la farmacia más cercana?
- _____ la calle Santo Domingo, gire la primera _____ y, después, la primera _____.

2 Desde la iglesia de San Francisco:
- Por favor, ¿puede decirme cómo se va a la iglesia de Santa Teresa?
- Gire _____, después tome la segunda calle _____, la calle Nueva Alta, y al final de la calle, _____, está la iglesia de Santa Teresa.

5 🔊 76 Listen and check.

Plaza de Armas

6 You are in Saint Teresa's Church. Looking at the map of Cuzco, ask your partner the following questions. Then he/she will ask you some.

1 Perdone, por favor, ¿para ir a la catedral?
2 ¿Puede decirme cómo se va a la plaza de Armas, por favor?
3 ¿La iglesia de San Francisco, por favor?
4 Disculpe, ¿la posta sanitaria, por favor?

Vocabulario

7 Match the names with the drawings by writing a letter in the box.

1 medicinas [c]
2 fruta y carne ☐
3 periódico ☐
4 sellos y tabaco ☐
5 cartas ☐
6 policía ☐

a

b

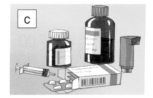
c

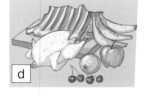
d

e

f

8 Match the establishments with the things in the previous activity.

1 correos ☐

2 quiosco ☐

3 farmacia ☐

4 mercado ☐

5 estanco ☐

6 comisaría ☐

Gramática

1 Where did you go on Saturday?

- ■ *Yo fui a...*
- ● *Yo no salí, me quedé en casa.*

2 What did Dr Ramírez do yesterday?
Match up the statements with the drawings.

1 Salió de casa a las ocho de la mañana. ☐ d
2 Empezó a trabajar a las ocho y media. ☐
3 Comió en la cafetería del hospital. ☐
4 Terminó de trabajar a las cinco de la tarde. ☐
5 Por la tarde, fue al supermercado. ☐
6 Compró algo de fruta para la cena. ☐

PRETÉRITO INDEFINIDO

Regular verbs

	trabajar	comer	salir
yo	trabaj**é**	com**í**	sal**í**
tú	trabaj**aste**	com**iste**	sal**iste**
él / ella / Ud.	trabaj**ó**	com**ió**	sal**ió**
nosotros/as	trabaj**amos**	com**imos**	sal**imos**
vosotros/as	trabaj**asteis**	com**isteis**	sal**isteis**
ellos / ellas / Uds.	trabaj**aron**	com**ieron**	sal**ieron**

3 Write the following sentences in the *pretérito indefinido*.

1 Ayer / no leer / el periódico. (yo)
 Ayer no leí el periódico.
2 El lunes / Juan y yo / comer / en un restaurante nuevo.
3 Anoche / cenar / con María. (nosotros)
4 Mis amigos / no trabajar / el sábado por la noche.
5 ¿Comprar / ayer / el periódico? (tú)
6 Eduardo / llevar / al niño al colegio.
7 ¿Salir / el viernes por la noche? (vosotros)
8 La semana pasada / conocer / a los padres de Juan. (yo)
9 ¿Llamar / a Juan / ayer? (tú)
10 El sábado pasado / ver / una película. (nosotros)

4 Complete the sentences with the correct form of the verbs in the box.

comer • nacer • salir • cambiar • viajar

1 ■ ¿Dónde _____ (tú)?
 ● En Córdoba.
2 Ayer _____ (nosotros) en un restaurante peruano.
3 El año pasado _____ (yo) en avión por primera vez.
4 ■ ¿Cuándo _____ (vosotros) de casa?
 ● A las ocho de la mañana.
5 El mes pasado _____ (ellos) de coche.

a

18:30

8:30

b

14:00

c

8:00

d

18:00

e

17:00

Dra. Arranz

f

5 What did Rosa do yesterday? Fill in the gaps using the *pretérito indefinido* of the verbs in the box.

> acabar • cenar • visitar
> pasar • llegar • ~~atender~~ • invitar

Ayer, como todos los días, me levanté a las siete de la mañana y me preparé para ir a trabajar. Al llegar al hospital, como todos los días, (1) *atendí* a los enfermos de la consulta y (2)_____ a los pacientes de las habitaciones. A las cinco de la tarde, como todos los días, (3)_____ de trabajar y (4)_____ por el supermercado a comprar algo para la cena. A las seis de la tarde (5)_____ por fin a casa, muy cansada, como todos los días. Pero ayer fue diferente: mi marido me (6)_____ a un concierto y después (7)_____ en mi restaurante favorito.

6 🔊77 Listen and check.

PRETÉRITO INDEFINIDO
Irregular verbs

	ir / ser	estar
yo	fui	estuve
tú	fuiste	estuviste
él / ella / Ud.	fue	estuvo
nosotros/as	fuimos	estuvimos
vosotros/as	fuisteis	estuvisteis
ellos / ellas / Uds.	fueron	estuvieron

7 Choose the correct alternative.

1 Juan y María **estuvieron** / **fueron** en el parque ayer.
2 Mi hermano **estuvo** / **fue** el capitán del equipo el año pasado.
3 ¿**Fuiste** / **Estuviste** a la oficina de correos ayer?
4 Ayer **fue** / **estuvo** mi cumpleaños.
5 ¿Dónde **estuvieron** / **fueron** los últimos Juegos Olímpicos?

Escuchar

8 🔊78 Soledad and Federico are two executives. Listen to them and complete the table with the cities they visited last week.

	Soledad	Federico
lunes		
martes		
miércoles		
jueves		
viernes		

> • Lima
> • Madrid
> • Buenos Aires
> • Río de Janeiro
> • Caracas

Hablar

9 Complete the questions using the *pretérito indefinido*.

1 ¿A qué hora (levantarse) *te levantaste* ayer?
2 ¿A qué hora (empezar) _____ a trabajar?
3 ¿A qué hora (salir) _____?
4 ¿Dónde (ir) _____ a comer?
5 ¿Con quién (comer) _____?
6 ¿Dónde (estar) _____ después de comer?
7 ¿Cuándo (llegar) _____ a casa?
8 ¿Qué (cenar) _____?
9 ¿Qué (ver) _____ en la televisión?
10 ¿A qué hora (acostarse) _____?

10 Now ask your partner these questions and write down his / her answers.

Ayer mi compañero se levantó a las…

Pronunciación y ortografía

Stress

1 🔊79 Listen and say what you hear.

1 a) Llevo gafas. ☐
 b) Llevó gafas. ☐
2 a) Como mucho. ☐
 b) Comió mucho. ☐
3 a) ¿Abro la puerta? ☐
 b) ¿Abrió la puerta? ☐
4 a) ¿Hablo más alto? ☐
 b) ¿Habló más alto? ☐
5 a) Entro a las ocho. ☐
 b) Entró a las ocho. ☐
6 a) Trabajo por la mañana. ☐
 b) Trabajó por la mañana. ☐
7 a) Estudio Geografía. ☐
 b) Estudió Geografía. ☐

2 🔊79 Listen again and repeat.

- *Talking about the weather*
- *The months and seasons of the year*

Vocabulario

1 Match up the expressions with the photographs.

HOY		AYER	
1	hace frío	hizo frío	a
2	hace calor	hizo calor	
3	hace viento	hizo viento	
4	está nublado	estuvo nublado	
5	llueve	llovió	
6	nieva	nevó	

2 Answer the following questions.

1 ¿Qué tiempo hace hoy?
2 ¿Qué tiempo hizo ayer?
3 ¿Hizo frío el fin de semana pasado?
4 ¿Qué tal tiempo hace en tu país en primavera / verano / otoño / invierno?
5 ¿Qué tiempo te gusta más? *Me gusta cuando...*

3 Complete the calendar with the usual weather where you live for each month of the year.

enero		julio	
febrero		agosto	
marzo		septiembre	
abril		octubre	
mayo		noviembre	
junio		diciembre	

Comunicación

primavera   verano   otoño   invierno

Hablar

4 Ask your partner these questions.

1 ¿Cuándo es tu cumpleaños?
  Mi cumpleaños es el...
2 ¿Cuándo es el cumpleaños de tu madre?
3 ¿Cuándo es el cumpleaños de tu padre?
4 ¿Cuándo es el cumpleaños de tu mejor amigo?

Escuchar

5 Fill in the gaps in the text using the words in the box.

> veces • mucho • hace (x2) • primavera
> altas • enero • noviembre • julio

En Toledo, durante los meses de invierno (diciembre, (1) _____ y febrero) (2) _____ mucho frío y algunas (3) _____ nieva. Durante la (4) _____ (marzo, abril y mayo), suben las temperaturas y empieza a hacer buen tiempo. En verano (junio, (5) _____ y agosto), hace (6) _____ calor: todos los días hace mucho sol y las temperaturas son muy (7) _____. En otoño (septiembre, octubre y (8) _____), los días son más cortos, el cielo está nublado y a veces llueve y (9) _____ viento.

6 🔊 80 Now listen and check.

Escribir

7 Write a paragraph about the weather in your country.

8 🔊 81 Listen to the weather forecast and complete the table.

	BRASIL	CARIBE	MÉXICO
tiempo			
temperatura			

Leer

9 Read the text on Mexico and answer the questions.

¿En qué festividades...
1 ... reciben regalos los niños?
2 ... las celebraciones duran dos semanas?
3 ... se encienden velas?
4 ... se utilizan trajes regionales?
5 ... se baila en las calles?
6 ... se representa la muerte de Jesucristo?

Ven a disfrutar de tus vacaciones en

México y participa
con nosotros en nuestras fiestas tradicionales

Carnaval: Los festejos de Carnaval se celebran en febrero. Empiezan el viernes y terminan el martes de la semana siguiente. Durante estos días la gente baila en las calles, en los hoteles y en las casas de la ciudad, en un ambiente muy alegre. Las mujeres se visten con hermosos trajes regionales y bailan sus danzas tradicionales.

Semana Santa: La Semana Santa se celebra en marzo o en abril. Los habitantes de los pueblos hacen procesiones, llevan velas y ofrecen flores. También se realizan representaciones de los principales hechos de la pasión y muerte de Jesucristo.

Día de los Muertos: El 1 de noviembre pueblos enteros van a las tumbas de sus muertos, llevándoles dulces, comida y flores. El espectáculo es impresionante por la noche cuando se encienden las velas en los cementerios.

Fiestas de Navidad y Año Nuevo: Estas fiestas empiezan el 24 de diciembre y terminan el 6 de enero, cuando los tres Reyes Magos dejan juguetes y golosinas en los zapatos de los niños.

Vacaciones en ESPAÑA

Hay tantas cosas que ver en España que es difícil seleccionar las más interesantes. Si empezamos por el noroeste, podemos visitar Galicia y allí pararnos a ver Santiago de Compostela y su catedral. Siguiendo por la costa cantábrica, el viajero descubre paisajes inolvidables de praderas suaves y pequeñas playas entre acantilados. Desde el País Vasco nos dirigimos a Cataluña, que mira al Mediterráneo. La ciudad catalana más importante es Barcelona, puerto de mar y punto de partida y llegada de barcos de todo el mundo. Podemos seguir nuestro viaje por la costa mediterránea para disfrutar de las ciudades y playas que llegan hasta Almería y Málaga, en Andalucía. También la comunidad andaluza merece una atención especial por los restos de cultura árabe que se pueden ver en Córdoba, Sevilla y Granada, especialmente. Desde Córdoba podemos ir a Madrid, atravesando la Mancha, la tierra de Don Quijote, el héroe de Cervantes. Aquí acaba nuestro viaje por esta vez, pero aún nos quedan por ver muchos otros paisajes y ciudades.

Leer

1 With your partner, draw up a list of cities and monuments in Spain.

2 🔊 82 Read the "Vacaciones en España" text and then listen to it.

3 Say whether the statements are true (T) or false (F).

1 La catedral de Santiago está en Galicia. ☐
2 Barcelona está en la costa cantábrica. ☐
3 En Córdoba hay restos árabes. ☐
4 Almería no tiene playa. ☐
5 La Mancha está al sur de Madrid. ☐

4 On the map, mark out the itinerary suggested in the text.

Escribir

5 Read Sara's blog. Where did she go on holiday? Who did she go with? What is the weather usually like in that part of Spain?

EL BLOG DE SARA

La Semana Santa pasada fui con mis amigos a Granada, en el sur de España. El viaje fue muy interesante. Es una ciudad de origen árabe. Visitamos La Alhambra. Sus edificios y jardines forman el conjunto más importante de arte musulmán en Europa. Por la noche cenamos en el barrio del Sacromonte y vimos un espectáculo flamenco. Al día siguiente subimos a Sierra Nevada. Pasamos el día esquiando con un tiempo estupendo. Otro día estuvimos en la costa. Sus habitantes dicen que allí hace sol más de 320 días al año. Nos bañamos en las playas de Almuñécar y comimos un arroz buenísimo en un restaurante junto al mar. Fueron unos días estupendos. Os recomiendo a todos este viaje.

ENTRADAS
- Enero (2)
- Febrero (6)
- Marzo (2)
- Abril (1)
- Mayo (3)
- Junio (2)

DÓNDE

🍽️ comer

🏛️ museos

🎭 teatros

🛏️ hoteles

BLOGS RELACIONADOS

✉️ contacto

6 Prepare some notes about your last holiday.

- ¿Dónde estuviste?
- ¿Con quién viajaste?
- ¿Qué actividades realizaste?
- ¿Qué sitios visitaste?
- ¿Qué comiste?
- ¿Qué tiempo hace en esa zona?

7 Now write a brief description of the place where you spent your last holiday.

Escuchar

8 🎧 83 Listen to a radio programme about Barcelona. Say if the statements are true (T) or false (F). Correct the ones that are false.

1 Barcelona está en el interior de España. ☐
2 Montserrat Caballé es una cantante de rock. ☐
3 Montserrat Caballé grabó con Freddie Mercury la canción «Barcelona». ☐
4 Podemos ver las mejores obras de Miró en Palma de Mallorca. ☐
5 Joan Manuel Serrat es muy conocido en los países de habla hispana. ☐
6 Arancha Sánchez Vicario ganó una vez el torneo de tenis de Roland Garros. ☐

Hablar

Alumno A (alumno B, see «En parejas»)

9 You and your partner are on the corner of Calle Argentina and Calle Ecuador. Ask B how to get to the following places.

> el colegio • el estanco • el supermercado
> el hotel • el restaurante

- ◾ *¿Puedes decirme cómo se va al colegio?*
- ● *Ve por la calle Argentina y toma la primera a la derecha, la calle Mayor. Sigue recto y, después de cruzar la calle Colombia, a la izquierda, junto a la parada del autobús, está el colegio.*

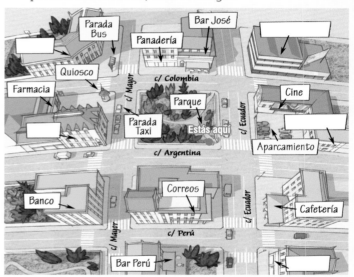

10 You and your partner are on the corner of Calle Argentina and Calle Ecuador. Listen to B and tell him / her how to get to the places he / she asks you about.

11 Find somebody in class who did these things yesterday. Ask several of your classmates.

1 Se levantó antes de las ocho.
¿Te levantaste antes de las ocho?
2 Desayunó café con leche.
¿Desayunaste café con leche?
3 Fue al supermercado.
¿Fuiste al supermercado?
4 Comió fuera de su casa.
5 Fue al gimnasio.
6 Vio una película.
7 Navegó por internet.
8 Habló por teléfono con sus padres.
9 Cenó una ensalada.
10 Se acostó antes de las once.

1 Where can you find …

1 … sellos? <u>En el estanco</u>.
2 … revistas? _____
3 … aspirinas? _____
4 … carne y pescado? _____
5 … un médico? _____
6 … un policía? _____

2 True (T) or false (F)?

1 En el desierto llueve mucho. — F
2 Cuando hace calor, no llevo abrigo. — ☐
3 Siempre nieva en verano. — ☐
4 En otoño caen las hojas de los árboles. — ☐
5 Cuando hace mucho viento, es difícil abrir el paraguas. — ☐
6 Cuando llueve, está nublado. — ☐

3 Put the paragraphs of Carolina's postcard to Rosa in order.

Querida Rosa:

☐ a) *Después ellos fueron a la plaza Mayor a tomar un aperitivo y yo me fui de compras con Ana, mi compañera de piso.*

☐ b) *Segovia es una ciudad preciosa. Ayer estuve allí de excursión con unos amigos.*

☐ c) *Al final del día, Ana y yo hicimos unas fotos del acueducto. El tiempo se pasó muy rápido, pero fueron unas horas inolvidables.*

☐ d) *Por la mañana visitamos la catedral y el alcázar.*

☐ e) *Por la tarde, todos bajamos al río. Dimos un paseo muy agradable.*

¡Hasta pronto!
Carolina

CORREOS ESPAÑA
SEGOVIA
CONSIGNE EN SUS ENVIOS EL CODIGO POSTAL
7,49€

Rosa García Iglesias
c/ Príncipe, 15 – 1.º izda.
28080 Madrid

4 Complete the text with verbs in the *pretérito indefinido* tense.

Ayer me (1) <u>levanté</u> (levantar) a las seis y media de la mañana. Mi marido y yo (2) _____ (desayunar) juntos y después él se (3) _____ (ir) a trabajar en tren y yo me (4) _____ (ir) en coche. Mis hijos (5) _____ (estar) en el colegio hasta las tres. Luego, todos (6) _____ (comer) juntos. Por la tarde, mi marido (7) _____ (preparar) la cena y yo (8) _____ (ayudar) a mi hijo pequeño con los deberes. A las once nos (9) _____ (ir) todos a dormir.

5 [84] Listen to Sara, Lucía and Carlos talking about their last holidays and complete the table.

1 ¿Dónde estuvieron?
2 ¿Qué transporte utilizaron?
3 ¿Con quién estuvieron?
4 ¿Cuánto tiempo estuvieron?

Sara
1
2
3
4

Lucía
1
2
3
4

Carlos
1
2
3
4

¿Qué sabes?

☺ ☺ ☹

· Preguntar e indicar cómo se va a un lugar. — ☐ ☐ ☐
· Nombres de establecimientos. — ☐ ☐ ☐
· Hablar del pasado. — ☐ ☐ ☐
· Hablar del tiempo meteorológico. — ☐ ☐ ☐
· Los meses y las estaciones del año. — ☐ ☐ ☐

Compras

- · Language for going shopping
- · Colours
- · Describing clothes
- · Making comparisons
- · **Culture**: Cities and Spanish and Spanish-American art

9

Hablar

1 Ask your classmates.

1 ¿Te gusta ir de compras?

2 ¿Dónde compras, en tiendas pequeñas o en centros comerciales?

2 Celia and Álvaro are going shopping. Complete the dialogue using the words in the box.

> cuánto cuestan • No están mal
> Gracias • preciosos

Celia: Mira estos zapatos, Álvaro, son (1) _____.

Álvaro: (2) _____, pero a mí me gustan más aquellos marrones.

Celia: Oiga, ¿(3) _____ estos zapatos negros?

Dependiente: Noventa euros.

Celia: ¿Y aquellos marrones?

Dependiente: Ciento quince euros.

Celia: ¿Ciento quince euros? (4) _____, tengo que pensarlo.

> a mí tampoco • talla • Vale • qué te parece • me la llevo

Álvaro: Celia, ¿(5) _____ esta camisa para mí?

Celia: Bien, ¿cuánto cuesta?

Álvaro: Solo sesenta euros. Voy a probármela.

Celia: (6) _____.

(…)

Celia: A ver… pues no te queda bien, ¿eh?

Álvaro: No, no, (7) _____ me gusta.

Celia: Toma, pruébate esta chaqueta, es muy bonita.

Álvaro: A ver… Pues sí, parece que me queda bien, ¿no?

Celia: Muy bien, es tu (8) _____.

Álvaro: ¿Cuánto cuesta?

Celia: Ciento veinte euros, es un poco cara.

Álvaro: Bueno, pero me gusta mucho, (9) _____.

> me lo llevo • En efectivo • ¿Cómo me queda?

Celia: Mira, ¿qué te parece este gorro? (10) _____

Álvaro: Bien, muy bien.

Celia: Pues (11) _____, solo cuesta cinco euros.

(…)

Dependiente: Una chaqueta y un gorro de lana… Muy bien, son ciento veinticinco euros. ¿Pagan en efectivo o con tarjeta?

Álvaro: (12) _____.

3 🔊85 Listen and check.

Comunicación

Pedir opinión sobre ropa

- ¿Cómo me queda esta falda?
- (No) Te queda bien / mal.
- Pues yo creo que me queda muy larga / corta / ancha / estrecha.
- ¿No te la llevas?

4 In pairs, practise the conversation in the previous activity, one of you is the sales assistant, the other the customer. You can buy a handbag, some jeans, a ring, some shoes, a shirt, a jacket, a cap...

Gramática

DIRECT OBJECT PRONOUNS (3ᴿᴰ PERSON)

- ¿Conoces a Ismael?
- No, no **lo** conozco.

- ¿Conoces a mi mujer?
- No, no **la** conozco.

- ¿Conoces a los vecinos de arriba?
- No, no **los** conozco.

- ¿Conoces a mis hermanas?
- No, no **las** conozco.

Lo compro (el jersey)
La compro (la chaqueta)
Los compro (los pantalones)
Las compro (las gafas)

- The pronoun goes after an imperative: *pruéba-te**lo***
- It can go before or after an infinitive or a gerund:
  *Quiero comprar**lo**. / **Lo** quiero comprar.*
  *Estoy probándome**lo**. / Me **lo** estoy probando.*

5 Answer affirmatively using the correct direct object pronoun.

1. ¿Te gusta esta camisa?
   Sí, me la llevo.
2. ¿Te gustan estos zapatos?
3. ¿Te gusta esta falda?
4. ¿Te gustan estos pantalones?
5. ¿Te gusta este anillo?
6. ¿Te gusta la cartera negra de piel?

6 Complete the sentences with the pronouns *lo, la, los, las*.

1. Me gusta mucho este jersey, me <u>lo</u> llevo.
2. ¿Sabes dónde están mis gafas? No _____ veo.
3. ■ ¿Quién es ese?
   - No lo sé, no _____ conozco.
   - ■ ¿Y aquella morena?
   - Tampoco _____ conozco.
4. ■ Y tus amigos Pepa y Jaime, ¿qué tal están?
   - No sé, hace tiempo que no _____ veo.
5. ■ ¿Te quedan bien los vaqueros?
   - Sí, me _____ llevo.
6. ■ Ahí está Rosa, ¿____ invitas a un café?
   - Vale.

DIRECT OBJECT PRONOUNS

	singular		plural
yo	**me**	nosotros/as	**nos**
tú	**te**	vosotros/as	**os**
él	**lo / le**	ellos	**los / les**
ella	**la**	ellas	**las**
Ud.	**la / lo / le**	Uds.	**las / los / les**

*Yo **te** quiero, ¿tú **me** quieres?*
*¿Ismael **os** quiere?*

7 Make sentences using direct object pronouns.

1. Yo / invitar / a ti
   Yo te invito.
2. ¿Tú / invitar / a mí?
3. Ellos / invitar / a nosotros
4. Nosotros / invitamos / a ellas
5. ¿Vosotros / invitar / a mí?
6. Ella / invitar / a Belén y Jorge
7. Mario / invitar / a vosotros
8. Diego / invitar / a ti
9. ¿Uds. / invitar / a Irene?
10. Alberto / no invitar / a mí

Vocabulario

1 Answer.

a ¿De qué color llevas hoy la camiseta / camisa?

b ¿De qué color son los autobuses en tu ciudad?

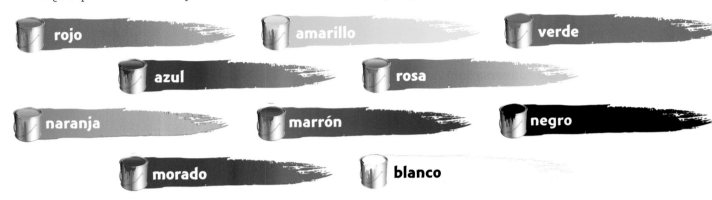

rojo · amarillo · verde · azul · rosa · naranja · marrón · negro · morado · blanco

2 Look at the drawing and say which person is being described in each case.

Ignacio · Bárbara · Charlie · Javier · Marta

1 Lleva un vestido verde y unos zapatos blancos.
2 Lleva unos pantalones rojos, una camisa blanca y unas playeras amarillas.
3 Lleva una camisa azul, muy elegante, y una corbata blanca. También lleva un traje oscuro.
4 Lleva unos pantalones verdes, una camiseta roja y un collar a juego con los pendientes.
5 Lleva unos vaqueros, una camisa de lunares y unas zapatillas marrones.

3 🔊 86 Listen and check.

ADJECTIVES

singular		plural	
masculine	feminine	masculine	feminine
blanco	blanca	blancos	blancas
verde	verde	verdes	verdes
azul	azul	azules	azules

Some colours come from the names of plants, flowers or fruit; these are normally invariable:

*pantalones **rosa***   *zapatos (de color) **naranja***

Hablar

4 Choose two classmates and describe the clothes they are wearing. Read your text out loud and see if the rest of the class know who you're describing.

5 Answer the «Tu ropa y tú» questionnaire.

Tu ropa y tú

1 ¿Cómo prefieres la ropa?
- a Cómoda. ○
- b Elegante. ○
- c Moderna. ○

2 ¿Con quién vas a comprarla?
- a Con mi madre. ○
- b Solo/a. ○
- c Con un amigo/a. ○

3 ¿Cuándo compras ropa?
- a Todos los meses. ○
- b Una vez al año. ○
- c Cuando necesito algo. ○

4 Si vas a una entrevista de trabajo, ¿qué te pones?
- a Algo formal: un traje, por ejemplo. ○
- b Algo cómodo: pantalones vaqueros. ○
- c Algo informal, pero elegante: una falda bonita / una americana moderna. ○

5 Cuando vas a la fiesta de cumpleaños de un/a amigo/a, ¿qué llevas?
- a Algo cómodo: camiseta y vaqueros. ○
- b Algo elegante: un vestido largo / camisa y pantalón negros. ○
- c Me da igual: lo primero que encuentro. ○

6 ¿Qué color es el más elegante?
- a Negro ○   c Blanco ○
- b Rojo ○   d Otro: _____

7 ¿Cuál es tu color preferido para la ropa? _____

6 Compare you own answers with those of your partner.

7 Match up the opposites.

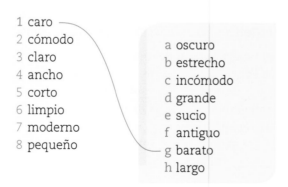

1 caro
2 cómodo
3 claro
4 ancho
5 corto
6 limpio
7 moderno
8 pequeño

a oscuro
b estrecho
c incómodo
d grande
e sucio
f antiguo
g barato
h largo

Escribir

8 Using the model, write five sentences using the adjectives from the previous activity.

Rosa lleva una falda larga.

9 In pairs, read out your sentences to your partner, who must decide if they are correct or not.

Pronunciación y ortografía

g / j

/x/	ja, je, ji, jo, ju
	ge, gi

/g/	ga, go, gu
	gue, gui

1 🔊87 Listen and repeat.

jamón **jugar** **rojo** **julio** **joven**
gimnasia **jefe** **jirafa** **geranio**
genio **gato** **goma** **agua** **guerra**
guitarra **guapo** **águila**
Guadalajara **gota**

2 🔊88 Listen and tick the one you hear.

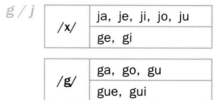

GUSTO / JUSTO   **HAGO / AJO**   **GABÓN / JABÓN**
PAGAR / PAJAR   **HIGO / HIJO**

TOLEDO

BUENOS AIRES

Vocabulario

1 Do you live in a village or a city? Underline the adjectives that describe your village or city.

> moderno/a • ruidoso/a • tranquilo/a • grande • antiguo/a
> limpio/a • pequeño/a • interesante • aburrido/a

2 Look at the photographs of Buenos Aires and Toledo, read the sentences and say if the statements are true (T) or false (F).

1 Buenos Aires es más antigua que Toledo. ☐
2 Toledo es más pequeña que Buenos Aires. ☐
3 Las calles de Buenos Aires son más anchas que las calles de Toledo. ☐
4 Toledo es más ruidosa que Buenos Aires. ☐
5 Buenos Aires está más contaminada que Toledo. ☐
6 Los edificios de Buenos Aires son tan modernos como los de Toledo. ☐

Gramática

COMPARATIVES

más + adjective + que
*Juan es **más simpático que** Pedro.*

menos + adjective + que
*Pedro es **menos simpático que** Juan.*

tan + adjective + como
*Juan (no) es **tan alto como** Pedro.*

3 Complete the sentences with *más, menos, que, tan, como.*

1 Tu coche no es <u>tan</u> rápido <u>como</u> el de Ana.
2 Ese vestido es más caro _____ este.
3 El taxi no es _____ barato _____ el metro.
4 ¿Vuestra casa es tan grande _____ la de mis padres?
5 ¿Te gustan más estos pantalones _____ esos?
6 El avión es _____ rápido _____ el coche.
7 La bicicleta es _____ ruidosa _____ el tren.

IRREGULAR COMPARATIVES

bueno	**mejor / mejores + que**
	*Esta película es **mejor que** esa.*
malo	**peor / peores + que**
	*Esos pasteles son **peores que** estos.*
grande	**mayor / mayores + que**
	*Yo soy **mayor que** ella.*
pequeño	**menor / menores + que**
	*Cinco es **menor que** ocho.*

4 Complete the dialogue with the comparatives *peor(es), mejor(es)*.

Luis: Voy a preparar mi maleta para el viaje, a ver… ¿qué llevo? Mira, estos zapatos están bien, ¿no?

Carla: No, para ir a la montaña, las botas son (1) _____ que los zapatos.

Luis: Tienes razón. ¿Llevo los vaqueros?

Carla: No, para el frío son (2) _____ los pantalones de pana.

Luis: Bueno, llevo los dos y ya está.

Carla: ¿Por qué llevas la maleta azul?

Luis: Pues porque es (3) _____ que la gris, tiene ruedas.

Carla: Yo prefiero la gris, caben más cosas. Toma el paraguas, guárdalo.

Luis: ¿El rojo? No, este es (4) _____ que el negro.

Carla: Lo siento, el negro ya está en mi maleta.

5 🔊89 Listen and check.

6 Look at the photograph and choose the correct alternative.

Carlos 40 años
Carlitos 7 años
Clara 42 años
Clarita 4 años

1 Carlos es *mayor* / *menor* que Clara.
2 Clara es *mayor* / *menor* que Carlos.
3 Clarita es *mayor* / *menor* que Carlitos.
4 Carlitos es *mayor* / *menor* que Clarita.

7 Match up the nouns and adjectives. There are several possibilities.

1 música
2 playas
3 canción
4 comida
5 montaña
6 persona
7 restaurante

a rica
b clásica
c inteligente
d alta
e caro
f desiertas
g bonita

8 Write comparative sentences.

1 El tren y el avión. (*rápido* / *lento*)
   El avión es más rápido que el tren.
2 Nueva York y París. (*grande* / *pequeño*)
3 Los coches y las motos. (*seguros* / *inseguros*)
4 Vivir en el campo y vivir en la ciudad. (*aburrido* / *divertido*)
5 La comida casera y la comida rápida. (*buena* / *mala*)
6 En verano y en invierno. (*bueno* / *malo*)

Hablar

9 Ask your partner about his / her answers to the previous activity.

- ¿Qué ciudad es más grande, Nueva York o París?
- Nueva York es más grande que París.

Gramática

DEMONSTRATIVE ADJECTIVES AND PRONOUNS			
singular		plural	
masculine	feminine	masculine	feminine
este	esta	estos	estas
ese	esa	esos	esas
aquel	aquella	aquellos	aquellas

DEMONSTRATIVE PRONOUNS (NEUTER)		
esto	eso	aquello

aquellos zapatos
estos zapatos
esos zapatos

10 Underline the correct demonstrative adjective or pronoun.

1 ¿Te gustan *estos* / *estas* gafas de sol?
2 ¿Cuánto cuesta *este* / *esto* anillo?
3 ¿De quién es *esta* / *esto*?
4 ¿De quién es *esta* / *este* cartera?
5 Luis, trae *aquel* / *aquello* bolso.
6 ¿Qué es *aquellos* / *aquello*?
7 Dame *esa* / *ese* caja de ahí.
8 *Eso* / *Esos* no me gusta.

Escuchar

1 🔊90 María and Jordi tell us about their favourite cities. Listen and complete the texts.

A María le gusta vivir en una ciudad (1) _____ porque tiene (2) _____ oferta cultural y de ocio. Sin embargo, no le gusta el ruido ni la (3) _____. Piensa que, para tener una ciudad más limpia, lo mejor es usar transporte (4) _____.

Jordi prefiere vivir en una ciudad pequeña porque tiene más (5) _____ y sus hijos viven más en contacto con la (6) _____. Seguro que cambia de ciudad en el (7) _____ si sus hijos van a la (8) _____.

Hablar

2 Talk to your partner about the city you like.

> moderna • antigua • tranquila • ruidosa
> grande • pequeña • bien comunicada
> turística • limpia • segura

> parques • espectáculos • transporte público
> playa • contaminación • museos
> bibliotecas • vida nocturna

■ *A mí me gustan las ciudades turísticas porque siempre hay mucha gente y tienen muchos lugares interesantes y mucha vida nocturna.*
● *Pues yo prefiero las ciudades tranquilas...*

■ *En España a mí me gusta Barcelona, por ejemplo...*
● *Pues a mí me gusta más una ciudad como Santander.*

Escribir

3 Write a text of about 100 words on your favourite city. Use the vocabulary you already know.

Leer

4 Before reading the text on the next page, answer these questions.

1 ¿Conoces algún cuadro o pintor español o hispanoamericano?
2 ¿Conoces algún museo famoso en España o en algún país hispanoamericano?

5 Look at the following page and match up the names of the paintings and the painters.

1 *Guernica*
2 *La Pradera de San Isidro*
3 *La jungla*
4 *Muchacha de espaldas*
5 *Murales de la Alameda*

a Wifredo Lam (1902-1982)
b Pablo Picasso (1881-1973)
c Diego Rivera (1886-1957)
d Salvador Dalí (1904-1989)
e Francisco de Goya (1746-1828)

Breve historia del
Guernica
de **Picasso**

En 1937, en plena Guerra Civil española, el gobierno de la República española encargó a Pablo Picasso un cuadro para exponerlo en el pabellón de España de la Exposición Universal de París. En esos días se produjo un ataque de la aviación nazi contra Guernica, un pueblo de Euskadi, en el norte de España. El pueblo quedó prácticamente destruido y hubo muchos muertos.

Picasso pintó su cuadro para reflejar el dolor y el sufrimiento de la gente en la guerra. Durante la II Guerra Mundial el *Guernica* fue trasladado al Museo de Arte Moderno de Nueva York (MOMA).

En 1981, ya con un gobierno democrático, el cuadro llegó a España, como era el deseo de Picasso.

Actualmente se expone en el Museo Nacional de Arte Contemporáneo Reina Sofía, de la capital española, y cada año lo ven millones de personas.

6 Read the text.

7 True (T) or false (F)?

1 El gobierno español encargó un cuadro a Picasso. ☑V

2 En París se celebró una Exposición Universal. ☐

3 En París hubo un bombardeo. ☐

4 Picasso pintó el cuadro en Guernica. ☐

5 El cuadro estuvo en Nueva York más de treinta años. ☐

6 Picasso quería que el cuadro estuviera en Nueva York. ☐

7 Ahora el cuadro está en Madrid. ☐

8 Discuss with your classmates.

- ¿Te gusta la pintura?
- ¿Qué cuadro te gusta más?
- ¿Cuál te gusta menos?
- ¿Vas a museos con frecuencia?

1 Complete the descriptions using the adjectives in the box.

> negro • negros • ~~marrones~~
> blanca • marrón

Rafael viene hoy muy elegante. Lleva unos pantalones (1) _marrones_, una camisa (2) _____ y una corbata a rayas. La chaqueta es (3) _____, del mismo color que los pantalones. Los zapatos son (4) _____ y lleva un sombrero también (5) _____.

> moderno • negras • negros
> azul • roja • negra

Marina viene hoy a clase con ropa deportiva. Lleva unos pantalones de color (6) _____, una camiseta (7) _____ con un estampado muy (8) _____, unos calcetines (9) _____, unas zapatillas deportivas (10) _____ y, en el pelo, una cinta también (11) _____.

2 Match up the questions and the answers.

1 Buenos días, ¿puedo ayudarle?   [f]
2 ¿Puedo probarme estos pantalones? [ ]
3 ¿Cómo paga, con tarjeta o en efectivo? [ ]
4 Álvaro, ¿te gustan estos zapatos? [ ]
5 ¿No tiene otro más barato? [ ]
6 ¿Cómo le queda la falda? [ ]

> a Bien, me la llevo.
> b No mucho, me gustan más aquellos.
> c Sí, claro, allí están los probadores.
> d Con tarjeta.
> e Sí, este solo cuesta treinta euros.
> f Sí, ¿cuánto cuestan estas gafas?

3 Fill in the gaps with the pronouns lo, la, los, las.

Julia: ¿Qué llevas en esa bolsa?
Cristina: Los regalos de Navidad.
Julia: ¿Puedo (1) ver_los_?
Cristina: Bueno: estos paquetes son para los abuelos.
Julia: ¿Y esas cajas blancas?
Cristina: Son para mamá y papá.
Julia: ¿Puedo (2) abrir_____?
Cristina: No, es una sorpresa.
Julia: ¿Y ese coche rojo? ¿Es para Raúl?
Cristina: Sí, tengo que (3) envolver_____ primero. ¿Tienes papel de regalo?
Julia: Sí, (4) _____ tengo en el primer cajón de la mesa. ¿Para quién es esta raqueta? ¿Para mí?
Cristina: No, es para Raúl, (5) _____ voy a envolver también.
Julia: ¿Y para mí?
Cristina: Es este paquete, ¿(6) _____ quieres ver ahora? ¿No prefieres esperar?
Julia: No, ahora, (7) ábre_____, por favor.
Cristina: No, mejor ábre_____ tú.
Julia: ¡Un cinturón negro! Me encanta. ¿Puedo (8) ponérme_____ hoy?

4 Choose the correct alternative.

1 ■ ¿Qué es _esto_ / _este_?
   ● Es un cuaderno, ¿te gusta?
2 ■ ¿Quién es _eso_ / _ese_ chico?
   ● Es mi hermano **mayor** / **más grande**.
3 ■ ¡Mira! Están robando una moto del garaje.
   ● ¿Cuál?
   ■ **Esta** / **Aquella** moto del fondo, la azul.
4 ■ ¿Cuánto valen **estas** / **aquellas** bolsas de caramelos, las de allí?
   ● Tres euros, pero **estas** / **esas** otras de aquí son **más** / **menos** baratas, valen dos euros.

5 Write the opposite of these adjectives.

1 antiguo _____   3 tranquilo _____   5 barato _____
2 sucio _____   4 claro _____   6 largo _____

¿Qué sabes?

☺ ☺ ☹

- Ir de compras.   [ ] [ ] [ ]
- Describir la ropa.   [ ] [ ] [ ]
- Concordancia de nombres y adjetivos de color.   [ ] [ ] [ ]
- Hacer comparaciones.   [ ] [ ] [ ]
- Algunas obras de pintores hispanos.   [ ] [ ] [ ]

Salud y enfermedad

10

- · · Parts of the body
- · · Talking about illness and remedies
- · · Talking about past habits
- · · Expressing plans and intentions
- · · Writing a blog on a journey
- · · **Culture:** The Inca Empire

Vocabulario

1 Do you often go to the doctor? When? In spring, summer, winter...?

2 🔊91 Look at the image, listen and repeat.

rodilla · · · · · · · · · · · · pie

pierna · · · · · · · · · · · · espalda

pecho · · · · · · · · · · · · oreja

hombro · · · · · · · · · · · · cara

brazo · · · · · · · · · cuello

mano · · · · · · · · · dedo

3 🔊92 Listen, look at the photographs and match each person up with their health problem

1 A Pedro 2 A Daniel 3 A Carmen 4 A Julia 5 A Victoria 6 Ana 7 A Ricardo	le duele le duelen tiene	a los oídos b el estómago c la espalda d la cabeza e la garganta f las muelas g fiebre

Ana

Julia

Victoria

Daniel

Ricardo

Pedro

Carmen

Leer

4 🎧93 Listen and then read the following dialogues.

A

Sara: ¡Hola, Ángel!, ¿qué tal estás?
Ángel: No muy bien.
Sara: ¿Qué te pasa?
Ángel: Tengo una gripe muy fuerte.
Sara: ¿Y qué tomas cuando estás así?
Ángel: De momento, nada.
Sara: ¿Por qué no te tomas una aspirina con un vaso de leche con miel y te vas a la cama?
Ángel: Sí, creo que es lo mejor.

5 **Now answer the questions.**

1 ¿Qué le pasa a Ángel?
2 ¿Qué le aconseja Sara?
3 ¿Qué le pasa a Luisa?
4 ¿Qué le aconseja Raúl?

Gramática

THE VERB *DOLER*		
(a mí)	me	
(a ti)	te	
(a él / ella / Ud.)	le	**duele** la cabeza
(a nosotros/as)	nos	**duelen** los oídos
(a vosotros/as)	os	
(a ellos / ellas / Uds.)	les	

6 **Complete with the correct pronoun and form of the verb *doler*.**

1 A mi hermano *le duelen* las piernas.
2 A mí _____ las muelas.
3 Carmen y Chus son peluqueras y _____ la espalda.
4 ¿A ti _____ algo?
5 ¡No hagáis tanto ruido! Al abuelo y a mí _____ la cabeza.
6 ¿A usted no _____ el estómago con esa comida tan fuerte?

B

Raúl: ¡Qué mala cara tienes! ¿Qué te pasa?
Luisa: Me duele muchísimo el estómago.
Raúl: ¿Por qué no vas al médico?
Luisa: Sí, voy a ir mañana.
Raúl: Mira, tómate un té y acuéstate sin cenar.
Luisa: Sí, creo que es lo mejor.

7 **Match up the health problems and their remedies.**

1 dolor de cabeza ⎯⎯⎯⎯
2 dolor de garganta
3 dolor de espalda
4 dolor de muelas
5 fiebre
6 dolor de oídos

a tomar una aspirina
b ir al masajista
c ir al médico
d ir al dentista
e tomar miel con limón
f acostarse y descansar

Escuchar

8 🎧94 Listen and complete the following conversations.

● El paciente n.º 1 tiene *la gripe*.
Consejo del médico: tomar _____ y _____.

● Al paciente n.º 2 le duele _____.
Consejo del médico: tomar _____ y _____.

● Al paciente n.º 3 le duele _____.
Consejo del médico: no tomar _____ ni _____, comer _____ y _____, y tomar _____.

Hablar

9 **In pairs, practise dialogues like the example below giving your partner advice on health matters (see activity 7).**

■ *¿Qué te pasa?*
● *Me duele la cabeza.*
■ *¿Por qué no tomas una aspirina?*

Antes…

Ahora…

Gramática

1 "In the past, people used to be happier", do you agree?

No estoy de acuerdo porque antes no había televisión.

2 🔊95 Listen to, and then read, the following text.

Elena y Emilio ya son padres. Su vida cambió cuando, de repente, se encontraron con... dos bebés en los brazos.

Elena: Antes de ser padres teníamos una vida social muy activa: viajábamos, íbamos al cine, salíamos con los amigos, teníamos mucho tiempo libre. Emilio jugaba al *hockey*, yo estudiaba alemán...

Emilio: Ahora todo es distinto. Dedicamos todo nuestro tiempo a Álvaro y Adrián, que son maravillosos.

3 True (T) or false (F)?

1 Elena y Emilio tienen un bebé. ☐
2 Antes viajaban mucho. ☐
3 Emilio no practicaba deportes. ☐
4 Emilio estudiaba idiomas. ☐
5 Ahora están muy ocupados con sus hijos. ☐

THE *PRETÉRITO IMPERFECTO*
Regular verbs

	viajar	tener	salir
yo	viaj**aba**	ten**ía**	sal**ía**
tú	viaj**abas**	ten**ías**	sal**ías**
él / ella / Ud.	viaj**aba**	ten**ía**	sal**ía**
nosotros/as	viaj**ábamos**	ten**íamos**	sal**íamos**
vosotros/as	viaj**abais**	ten**íais**	sal**íais**
ellos / ellas / Uds.	viaj**aban**	ten**ían**	sal**ían**

4 Choose the correct form of the verb.

1 Antes Elena y Emilio no **tenían** / **tienen** hijos.
2 Cuando no tenían hijos, Elena y Emilio **viajan** / **viajaban** por todo el mundo.
3 Ahora Elena no **estudiaba** / **estudia** alemán.
4 Emilio ya no **juega** / **jugaba** al *hockey*.
5 Antes de ser padres, **salían** / **salen** los fines de semana con sus amigos.
6 Antes les **gustan** / **gustaba** mucho el cine.

THE *PRETÉRITO IMPERFECTO*
Irregular verbs

	ir	ser	ver
yo	iba	era	veía
tú	ibas	eras	veías
él / ella / Ud.	iba	era	veía
nosotros/as	íbamos	éramos	veíamos
vosotros/as	ibais	erais	veíais
ellos / ellas / Uds.	iban	eran	veían

5 Complete the following text about Emilio's life.

Yo antes (1) <u>era</u> jugador de un equipo de hockey. (2) _____ (entrenar) tres días a la semana. Los domingos mis compañeros y yo (3) _____ (jugar) un partido de liga. Cada dos semanas nos (4) _____ (ir) en autocar al campo del equipo contrario. A veces, Elena me (5) _____ (acompañar) y después de los partidos (6) _____ (ir) a cenar todos juntos. Todo (7) _____ (ser) estupendo. Pero ahora es más divertido porque somos cuatro.

Hablar

6 What was your life like when you were 10 or 12 years old? In pairs, ask each other and answer.

1 ¿Cómo era tu colegio?
2 ¿A qué hora entrabas y a qué hora salías?
3 ¿Qué hacías cuando salías del colegio?
4 ¿Comías en el colegio o en tu casa?
5 ¿Qué hacías los domingos por la mañana?, ¿y por la tarde?
6 ¿Cómo era tu profesor o profesora favorito/a?
7 ¿Qué hacías durante las vacaciones de verano?
8 ¿Cómo se llamaba tu mejor amigo/a?
9 ¿Qué deporte practicabas?
10 ¿Cuál era tu asignatura favorita? ¿Por qué?

Escuchar

8 🔊 96 Listen to the story of Martina and choose the correct alternative.

1 Martina tiene:
  a casi cien años.
  b menos de ochenta años.
2 Cuando era pequeña, vivía:
  a con sus padres.
  b con sus hermanos y su madre.
3 Trabajaba en el campo:
  a cuando era una niña.
  b después de terminar sus estudios.
4 Trabajaba:
  a ocho horas diarias.
  b doce horas diarias.
5 A los diecinueve años tenía:
  a dos hijos.
  b un hijo.
6 Los sábados y domingos:
  a compraba en el mercadillo.
  b trabajaba en el mercadillo.

7 Federico won the lottery! With your partner, talk about what his life was like before he was a millionaire. Use the verbs in the box.

tener • desayunar • regalar • navegar • comer • vivir

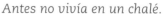
Antes no vivía en un chalé.

Leer

1 Read this email and complete the sentences.

```
●●●                    Voy a trabajar en un hotel              ⬭
 ✈   💬   📎    @      A      🌐     📄
Enviar Chat Adjuntar Dirección Tipo de letra Colores Borrador

Para:  fernando@mail.com
Cc:
Asunto: Voy a trabajar en un hotel
Cuenta:  Santiago <santiago@yahoo.es>    ▣
```

¡Hola, Fernando!
¡Por fin terminó el curso! Tengo muchos planes para este verano: en julio voy a trabajar en un hotel en Cádiz durante un mes, porque quiero ahorrar dinero para viajar por Europa. Quiero ir a Londres con María, vamos a estudiar un poco de inglés. A la vuelta, vamos a visitar París con mi hermano, que está allí estudiando francés. Como ves, tengo un verano muy ocupado. Y tú, ¿qué vas a hacer? Cuéntame.
Un abrazo,
Santiago

1 Santiago _____ muchos planes para este verano.
2 En julio _____ a trabajar en un hotel.
3 Después _____ por Europa.
4 Santiago y María _____ a ir a Londres.
5 Después de Londres _____ visitar París.

2 Match up Santiago's plans with the situations, as in the example.

1 Santiago va a trabajar en un hotel.   ☐ c
2 Va a viajar por Europa.   ☐
3 Él y María van a ir a Londres.   ☐
4 Van a visitar París.   ☐
5 Su hermano está en París.   ☐

   a   Quiere aprender francés.
   b   Quieren mejorar su inglés.
   c   Quiere ahorrar dinero.
   d   Tiene un mes de vacaciones.
   e   Quiere estar unos días con su hermano.

Santiago va a trabajar en un hotel porque quiere ahorrar dinero.

3 What are they going to do? Look at the photographs and use the verbs in the box.

> ver una obra de teatro • comprar un coche
> besarse • tener un hijo • casarse • bañarse

1 *Van a bañarse.*

2

3

4

5

6

Hablar

4 In pairs, say what you're going to do at the weekend. Use these ideas:

levantarme tarde   hacer deporte   reunirme con amigos   ir a pasear

limpiar la casa   salir a cenar   **leer el periódico**   ver la televisión

5 What is Federico going to do with the money he has won? Match up the questions and answers.

1 ¡Felicidades, Federico! ¿Cómo te sientes? ☐
2 ¿Vas a organizar una fiesta? ☐
3 ¿Qué es lo primero que te vas a comprar? ☐
4 ¿Te vas a comprar un barco? ☐
5 ¿Te vas a ir de vacaciones? ☐
6 ¿Qué le vas a regalar a tu mujer? ☐

a No, no sé navegar.
b Sí, voy a dar una vuelta alrededor del mundo.
c Muchas joyas.
d ¡De maravilla! ¡Como nunca!
e Sí, con todos mis amigos.
f Una casa muy grande en el campo.

Escribir

6 Imagine you are a journalist. Write a short news story about Federico's plans.

Federico tiene grandes planes para el futuro.
Dice que va a...
Dice que no va a...

Pronunciación y ortografía

1 🔊97 Listen to the following words and classify them according to how they are stressed.

alemán café teléfono cantante
árbol canción examen estudiar
ordenador ventana periódico
móvil pintura música

Rules for written accents

a Words stressed on the last syllable require a written accent if they end in a vowel, **n** or **s**.
b Words stressed on the next-to-last syllable require a written accent if they end in a consonant other than **n** or **s**.
c Words stressed on any other syllable always require a written accent.

2 🔊98 Listen and add written accents where necessary.

1 Andres me llamo por telefono para saludarme.
2 Barbara trabaja en una empresa de informatica en Mexico.
3 Yo estudie decoracion en Milan.
4 Antes Raul vivia cerca de aqui, pero ahora esta viviendo en Valencia.
5 Aqui hace mas calor que alli.
6 Ella es mas guapa que el.
7 Los telefonos moviles son muy comodos.
8 Esta casa es mas centrica que tu piso.

AGUDAS
stressed on the last syllable

LLANAS
stressed on the next-to-last syllable

ESDRÚJULAS
stressed on the third-last syllable

Leer

1 Read the text and match up the titles with the paragraphs.

1 El imperio inca.   Ⓐ
2 Constructores de carreteras.   ☐
3 Casas sencillas.   ☐
4 Un pueblo religioso.   ☐
5 Campesinos y artesanos.   ☐
6 La ciudad imperial.   ☐

A	En el siglo xv, los incas, antes de la llegada de los españoles a Perú, vivían en la montaña, en el corazón de los Andes. Hablaban una lengua llamada quechua y tenían un gran imperio.
B	Cuzco, la capital del imperio, se levantaba a 3200 m de altitud. Estaba rodeada de montañas y protegida por una fortaleza. Para los incas, Cuzco era el centro del mundo.
C	Los incas creían en dioses como el Sol, la Luna y el Trueno. Pero también adoraban montañas, lagos o plantas.
D	Las casas eran de piedra, con tejados de hierba seca y una sola habitación. Dentro, los incas comían en cuclillas. Por la noche dormían envueltos en mantas.
E	Los incas construyeron una importante red de caminos empedrados. En las laderas abruptas tallaban escalones en la roca. Y para cruzar los precipicios, hacían puentes colgantes con cuerdas vegetales.
F	Se calcula que en el imperio vivían ocho millones de personas. Los campesinos cultivaban la tierra y cuidaban rebaños de llamas. Los artesanos fabricaban objetos de cerámica y tejidos.

2 Correct the following statements.

1 Los incas hablaban español.
   Los incas hablaban quechua.
2 Los campesinos vivían del comercio.
3 Los incas adoraban a un solo dios.
4 Vivían en grandes casas de madera.
5 En la época de los incas, no había vías de comunicación.
6 Cuzco está al nivel del mar.

Escribir

3 Read Carlos's blog about his trip to the Pyrenees. What do the verbs in blue express? And those in green?

Viernes, 1 de julio
La semana que viene me voy a ir de vacaciones con tres amigos. Vamos a estar en un *camping* en los Pirineos. Me voy a llevar mi ordenador portátil para continuar con mi blog.

Viernes, 8 de julio
Ayer montamos la tienda de campaña junto a un río. Hacía mucho calor y nos dimos un baño. Voy a hacer muchas fotos porque las vistas de las montañas son espectaculares. Mañana vamos a navegar en canoa por el río.

Sábado, 9 de julio
Ayer nos lo pasamos muy bien con la canoa, pero el agua estaba muy fría. Me caí al agua varias veces. Hoy vamos a hacer una marcha por la montaña. Me voy a llevar la brújula y el botiquín.

4 Write a blog about a journey. Don't forget to use the correct tenses.

- Piensa en los detalles del viaje: ¿dónde?, ¿cuándo?, ¿con quién?, ¿qué vas a llevar?...
- Describe el tiempo y el lugar.
- ¿Qué actividades vas a hacer?
- ¿Qué hiciste el primer día?
- ¿Cómo fueron las actividades del segundo día?

Escuchar

5 🔊99 Listen to the interview with mountaineer Elisa Urrutia and answer the questions.

1 ¿Va a hacer Elisa alguna escalada la próxima temporada?
2 ¿Por qué Elisa necesita un poco de descanso?
3 ¿Qué trabajo va a realizar en el centro de alpinismo?
4 ¿Qué acontecimiento importante sucedió en su vida el año pasado?
5 ¿Qué acontecimiento importante va a suceder en su vida el otoño próximo?

Hablar

Alumno A (alumno B, see «En parejas»)

6 Imagine that you win the lottery. Prepare your answers for the interview with B.

a ¿Con quién lo vas a celebrar?
b ¿Qué vas a comprar?
c ¿Dónde vas a ir de vacaciones?
d ¿Con quién vas a ir?
e ¿Qué vas a hacer a la vuelta del viaje?

7 Prepare questions to ask B, who is going abroad to study. You can add more questions.

a A qué país / ir
b Qué / estudiar
c Dónde / alojar
d Con quién / vivir
e En qué / trabajar

1 Match up the parts of the sentences.

1 Estos zapatos son nuevos, por eso   c
2 Juan lleva dos pendientes   ☐
3 Los futbolistas cuidan especialmente   ☐
4 Uso guantes   ☐
5 Ana lleva varios anillos   ☐
6 Cuando cojo mucho peso,   ☐

  a me duelen los brazos.
  b sus piernas.
  c me duelen los pies.
  d porque tengo frío en las manos.
  e en cada oreja.
  f en los dedos.

2 Complete the text using the *pretérito imperfecto* tense of the verbs in brackets.

Marisa y Alfredo se casaron la semana pasada. Ahora viven juntos en Madrid, pero antes de conocerse, cuando ellos (1) _eran_ (ser) jóvenes, los dos (2) _____ (vivir) en distintas ciudades. Marisa (3) _____ (trabajar) con un grupo de teatro infantil y (4) _____ (estudiar) en la universidad. Alfredo (5) _____ (hacer) películas con un grupo de aficionados y (6) _____ (escribir) magníficos guiones. Un día, cuando los dos (7) _____ (ir) a un festival de cine, se conocieron y, desde entonces, ya no se separan nunca.

3 Underline the correct verb.

1 Ayer *fui / iba* a ver a Jacinto.
2 Cuando Luis *tenía / tuvo* diez años, *jugaba / jugó* al fútbol todos los sábados.
3 Antes me *gustaba / gustó* la música rock, pero ahora me *gustaba / gusta* la música romántica.
4 Elena y Emilio antes no *tuvieron / tenían* hijos y ahora tienen dos.
5 Elena y Emilio *iban / fueron* a París en el año 2002.
6 Mi marido *jugó / jugaba* al baloncesto cuando *era / fue* joven.
7 Yo no fumo, pero antes *fumé / fumaba* mucho.
8 Mi hermana de pequeña *era / fue* rubia.
9 ¿*Viste / Veías* a Sara el sábado pasado?
10 Ayer me *acostaba / acosté* muy tarde.

4 Write questions about people's plans for the weekend.

1 ¿Tú / estudiar?
  ¿Vas a estudiar?
2 ¿Vosotros / ir al cine?
3 ¿Lorenzo / escuchar música?
4 ¿Tu novio / comprar ropa?
5 ¿Tú / navegar por internet?
6 ¿Vosotros / hacer los ejercicios de español?
7 ¿Ellos / ir al fútbol?
8 ¿Tus padres / ir a la ópera?
9 ¿Tú / viajar en barco?
10 ¿Nosotros / quedar con Alba?

5 🔊100 Listen to a band, Los Escorpiones, talking to their manager and answer the questions.

1 ¿Cuándo va a estar el nuevo disco de Los Escorpiones en el mercado?
2 ¿Cuándo van a empezar la gira?
3 ¿Van a hacer su propia página web?
4 ¿Qué van a hacer en septiembre?
5 ¿Quién va a cantar con ellos en el concierto?

¿Qué sabes?

☺ ☻ ☹

· Las partes del cuerpo.   ☐ ☐ ☐
· Hablar de enfermedades (verbo *doler*).   ☐ ☐ ☐
· Hablar de hábitos en el pasado.   ☐ ☐ ☐
· Expresar planes e intenciones (*ir a* + infinitivo).   ☐ ☐ ☐
· Las reglas de acentuación.   ☐ ☐ ☐

ANEXOS

En parejas

Unidad 1

Hablar

Alumno B (from page 23)

5 Give A the information about numbers 1, 3, 5 and 7.

El número 1 se llama Isabel Allende. Es chilena. Es escritora.

1

Isabel Allende
chilena
escritora

2

_____
_____
_____

3

Messi
argentino
futbolista

4

_____
_____
_____

5

Carolina Herrera
venezolana
diseñadora

6

_____
_____
_____

7

Shakira
colombiana
cantante

8

_____
_____

6 Do you know these famous people? Ask A about numbers 2, 4, 6 and 8.

¿Cómo se llama el número 2? ¿De dónde es? ¿A qué se dedica?

Unidad 2

Hablar

Alumno B (from page 33)

7 Tell A where these objects are.

Las gafas están encima de la silla.

8 Ask A where the objects in the box are.

¿Dónde está el móvil?

Unidad 3

Hablar

Alumno B (from page 43)

7 Answer A's questions.

NOMBRE:	Antonio García
EDAD:	42 años
TRABAJO:	Cocinero
PAÍS	España
CIUDAD:	Sevilla
LUGAR DE TRABAJO:	Restaurante
TRANSPORTE:	Coche
FAMILIA:	Casado. Tiene dos hijos.

8 Ask A and complete the index card.

NOMBRE:	_____
EDAD:	_____
TRABAJO:	_____
PAÍS:	_____
CIUDAD:	_____
LUGAR DE TRABAJO:	_____
TRANSPORTE:	_____
FAMILIA:	_____

Unidad 4

Hablar

Alumno B (from page 53)

8   Answer A's questions.

Hotel *Miramar*

ℹ️
Quinta planta: _____
Cuarta planta: Peluquería
Tercera planta: _____
Segunda planta: Restaurante

Primera planta: _____
Planta Baja: Recepción
Sótano: Garaje

🛏️
Precios
Habitación individual: 100 €
Habitación doble: _____

🍴
Comidas
Desayunos: de 7.30 a 10.30 h
Comidas: de 13 a 15 h
Cenas: _____

9   Ask A about the information missing from the Hotel Miramar's advert.

1   ¿En qué planta están: *la cafetería, la sauna y el gimnasio, el salón de conferencias?*
2   Pregunta el precio de la habitación doble: *¿Cuánto cuesta…?*
3   Pregunta el horario de la cena: *¿A qué hora se puede cenar?*

Unidad 5

Hablar

Alumno B (from page 63)

4   Answer A's questions about your likes.

   Sí, mucho. / Sí, bastante. / No, no mucho. / No, nada.

5   Ask A about his / her likes.

   ¿Te gusta viajar?
   ¿Te gustan los perros?

	MUCHO	BASTANTE	NO MUCHO	NADA
viajar				
los perros				
las motos				
navegar en internet				
jugar al fútbol				
andar				
hablar				
los niños				
leer				

Unidad 8

Hablar

Alumno B (from page 93)

9 You and your partner are on the corner of Calle Argentina and Calle Ecuador. Listen to A and tell him / her how to get to the places he / she asks about.

10 You and your partner are on the corner of Calle Argentina and Calle Ecuador. Ask A how to get to the following places.

- la panadería
- el banco
- la cafetería
- el cine
- la farmacia

■ *¿Puedes decirme cómo se va a la panadería?*

● *Ve por la calle Argentina y toma la primera a la derecha, la calle Mayor. Sigue recto y, después de cruzar la calle Colombia, a la derecha, junto al bar José, está la panadería.*

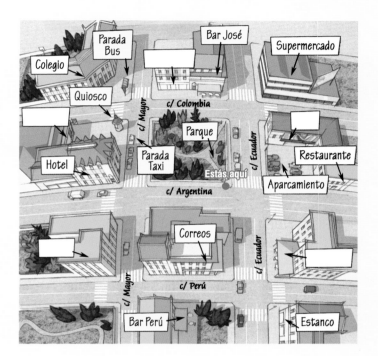

Unidad 10

Hablar

Alumno B (from page 113)

6 Prepare these questions to interview A, who has won the lottery. You can ask other questions too.

a Con quién / celebrar
b Qué / comprar
c Dónde / ir de vacaciones
d Con quién / ir
e Qué / hacer a la vuelta del viaje

7 Imagine you are in a foreign country. Prepare the answers for the interview A is going to do with you.

a ¿A qué país vas a ir?
b ¿Qué vas a estudiar?
c ¿Dónde te vas a alojar?
d ¿Con quién vas a vivir?
e ¿En qué vas a trabajar?

1 Gramática y vocabulario

GRAMÁTICA

THE VERBS *SER* AND *TENER*. PRESENT

	ser	tener
yo	soy	tengo
tú	eres	tienes
él / ella / Ud.	es	tiene
nosotros/as	somos	tenemos
vosotros/as	sois	tenéis
ellos / ellas / Uds.	son	tienen

→ We use the verb *ser* to identify ourselves, to talk about our nationality and our profession.
   Esta es Pilar. Pilar es española. Pilar es azafata.

THE GENDER OF NOUNS

→ Nouns referring to things can be masculine or feminine:
   el libro   la ventana
→ Nouns referring to people and animals are masculine and feminine:
   el gato   la gata
   el profesor   la profesora
   el hombre   la mujer
→ In the case of the names of professions:
 a If the masculine ends in -o, this changes to -a:
   el abogado   la abogada
 b If the masculine ends in a consonant, add -a:
   pintor   pintora
 c If the masculine ends in -e, in some cases it stays the same, in others it changes to -a.
   el estudiante   la estudiante
   el presidente   la presidenta
 d If the masculine ends in -ista, there is no change.
   el taxista   la taxista

THE GENDER OF ADJECTIVES

→ Adjectives agree with the nouns they qualify.
   El profesor es simpático. La profesora es simpática.
→ In the case of adjectives of nationality:
 a If the masculine ends in -o, the feminine ends in -a.
   brasileño   brasileña
 b If the masculine ends in a consonant, the feminine adds -a.
   alemán   alemana
 c If the masculine ends in -a, -e or -í, there is no change.
   belga / belga   cretense / cretense   iraní / iraní

REGULAR VERBS. PRESENT

There are three conjugations, the infinitives ending in –ar, –er, and –ir.

trabajar	comer	vivir
trabajo	como	vivo
trabajas	comes	vives
trabaja	come	vive
trabajamos	comemos	vivimos
trabajáis	coméis	vivís
trabajan	comen	viven

SUBJECT PRONOUNS

→ There are 12 subject pronouns.

> yo • tú • él • ella • usted (Ud.) • nosotros • nosotras vosotros • vosotras • ellos • ellas • ustedes (Uds.)

→ These subject pronouns are not used all the time, only when we wish to distinguish clearly between different subjects.

TÚ / USTED, VOSOTROS / USTEDES

→ We use *tú* and *vosotros* when we talk to people we know, to friends or to people of equal or lower social rank.
→ We use *usted* and *ustedes* when we talk to strangers, older people and people of higher social rank.
→ In Latin America, *ustedes* is used instead of *vosotros* and in some countries, *vos* instead of *tú*.

VOCABULARIO

NATIONALITIES

> alemán/a • andaluz/a • brasileño/a • catalán/a estadounidense • francés/a inglés/a • japonés/a • marroquí • mexicano/a

PROFESSIONS

> ciclista • actriz • camarero/a • cantante cartero/a • escritor/a • estudiante • futbolista médico/a • policía • peluquero/a • profesor/a secretario/a • taxista • torero/a

NUMBERS

> 0 cero 1 uno 2 dos 3 tres 4 cuatro 5 cinco 6 seis 7 siete 8 ocho 9 nueve 10 diez 11 once 12 doce 13 trece 14 catorce 15 quince 16 dieciséis 17 diecisiete 18 dieciocho 19 diecinueve 20 veinte

Ejercicios prácticos

1 Complete with the verb *ser*.

1 ¿De dónde _____? (tú)
2 Lisandro _____ de Colombia.
3 Nosotros _____ estudiantes.
4 Carla y Lola _____ abogadas.
5 Yo no _____ español.
6 Mi hija _____ periodista.
7 ¿ _____ alemanas? (vosotras)
8 ¿ _____ profesor? (tú)
9 ¿De dónde _____ usted?
10 ¿_____ brasileña? (tú)
11 Mis padres_____ mexicanos.
12 María y yo_____ profesoras.

2 Insert the correct pronoun.

1 <u>Él</u> es francés.
2 _____ somos mexicanas.
3 _____ somos peruanos.
4 ¿_____ sois españoles?
5 ¿_____ eres de Sevilla?
6 _____ no son profesores.
7 _____ soy peluquero.
8 _____ son actrices.
9 ¿_____ eres actor?
10 _____ no es española.

THE GENDER OF NOUNS

3 Put these nouns in the correct column.

> ~~casa~~ • ~~hotel~~ • oficina • leona • coche
> hombre • libro • mujer • camarero
> calle • compañero • hospital
> azafata • gata • lección • hijo

MASCULINE	FEMININE
el hotel	la casa

THE GENDER OF ADJECTIVES

4 Complete the table with the missing gender.

1	la gata blanca
2	la niña simpática
3	la profesora amable
4	el actor bueno
5	la taxista buena
6	la turista alemana
7	la abogada china
8	el pianista inglés
9	el periodista estadounidense

REGULAR VERBS. PRESENT

5 Write correct sentences.

1 Yo / estudiar / Matemáticas
2 Nosotros / comer / en casa
3 Rosa / no / beber / agua
4 Luis y Ana / vivir / en Galicia
5 Nosotras / trabajar / mucho
6 ¿Tú / vivir / en París?
7 ¿Ud. / hablar / inglés?
8 Yo / trabajar / en un banco
9 ¿Ustedes / escribir / los datos?
10 Mi marido / no / hablar / mucho
11 ¿Tú / trabajar / aquí?
12 ¿Dónde / vivir / Ud.?
13 ¿Dónde / trabajar / Ud.?
14 ¿Dónde / trabajar / tú?
15 Yo / vivir / en Valencia

SUBJECT PRONOUNS

6 Which is the corresponding subject pronoun?

1 ¿Qué estudia Alicia? *Ella*
2 Elena y Alberto tienen dos hijos.
3 Estos chicos no estudian nada.
4 ¿A qué hora comen los españoles?
5 ¿Cuántos idiomas habla?
6 ¿Llamáis todos los días por teléfono a Óscar?
7 ¿Cómo se llama tu marido?
8 ¿Dónde viven Lola y María?

GRAMÁTICA

THE PLURAL OF NOUNS

→ If the singular ends in a vowel (except **í**), the plural is formed by adding **–s**.

un libro   dos libros

→ If the singular ends in a consonant, the plural is formed by adding **-es**.

un hotel   dos hoteles   un lápiz   dos lápices

POSSESSIVE ADJECTIVES

subject	Possessive adjectives	
	singular	plural
yo	mi	mis
tú	tu	tus
él / ella / Ud.	su	sus
nosotros/as	nuestro/a	nuestros/as
vosotros/as	vuestro/a	vuestros/as
ellos/as / Uds.	su	sus

→ Possessive adjectives agree in number with the noun they qualify.

*Esta es **mi** <u>hermana</u> y estos son **mis** <u>padres</u>.*

THE VERB *ESTAR*. PRESENT

Present of the verb *estar*	
yo	estoy
tú	estás
él / ella / Ud.	está
nosotros/as	estamos
vosotros/as	estáis
ellos / ellas / Uds.	están

→ We use the verb *estar* to express location.

*Pedro **está** en casa.*

DEMONSTRATIVES

→ The demonstrative pronouns *este, esta, estos, estas* refer to somebody or something nearby.

	singular	plural
masculine	este	estos
feminine	esta	estas

Esta es <u>mi prima</u>.
Este es <u>mi perro</u> Miko.
Estas son <u>las bicicletas</u> de mis hermanos.
Estos son <u>mis compañeros</u> de clase.

VOCABULARIO

PREPOSITIONS OF PLACE

El móvil está…

al lado del libro   debajo del libro   **encima del libro**

delante de los libros   **detrás de los libros**   entre el libro y la lámpara

a la derecha   **a la izquierda**

FAMILY

abuelo/a • padre • madre • hijo/a • primo/a marido • mujer • hermano/a

MARITAL STATUS

soltero/a • casado/a • divorciado/a

IN CLASS

bolígrafo • cuaderno • diccionario • lápiz • libro mapa • mesa • silla • televisión • ventana

NUMBERS

20 veinte	100 cien
21 veintiuno	101 ciento uno
22 veintidós	200 doscientos/as
23 veintitrés	300 trescientos/as
24 veinticuatro	400 cuatrocientos/as
25 veinticinco	500 quinientos/as
26 veintiséis	600 seiscientos/as
27 veintisiete	700 setecientos/as
28 veintiocho	800 ochocientos/as
29 veintinueve	900 novecientos/as
30 treinta	1 000 mil
31 treinta y uno	1 105 mil ciento cinco
40 cuarenta	1 500 mil quinientos
50 cincuenta	1 940 mil novecientos cuarenta
60 sesenta	
70 setenta	2 001 dos mil uno
80 ochenta	5 000 cinco mil
90 noventa	

Ejercicios prácticos

THE PLURAL OF NOUNS

1 Complete the sentences with the plural of the words in the box.

> amiga • lápiz • profesor • hermano
> hotel • diccionario • autobús
> mapa • televisión • silla

1 En mi familia somos seis _____.
2 Tenemos cinco _____ en mi ciudad.
3 Tengo dos _____ colombianas.
4 Mis _____ son españoles.
5 Los _____ son de Laura.
6 Las _____ de la cocina están rotas.
7 En mi casa tenemos dos _____, una en el salón y otra en la cocina.
8 Los _____ de español están en la estantería.
9 Tengo dos _____ de España, uno de Madrid y otro de Barcelona.
10 ¿Cuándo llegan los _____ para la excursión?

POSSESSIVE ADJECTIVES

2 Choose the correct alternative.

En (1) mi / mis **clase somos veinticinco alumnos.** (2) Mi / Mis **compañeros son de distintos
países.** (3) Yo / Mi **amigo Henry es de Canadá.**
(4) Él / Su **familia vive en Toronto.** (5) Nuestra /
Nosotros **profesora de Español se llama Ana. Es
argentina y vive con** (6) él / su **marido cerca de
la escuela.**

THE VERB *ESTAR*. PRESENT

3 Complete the sentences with the correct form of the verb *estar*.

1 Mi familia _____ en Andalucía.
2 El gato _____ debajo del sofá.
3 ¿Dónde _____ las llaves?
4 Mis zapatillas no _____ en mi habitación.
5 Mi marido _____ en la oficina.
6 El ordenador _____ encima de la mesa.
7 Mis padres no _____ en casa.
8 ¿Cuándo _____ tú en la oficina?
9 Yo _____ en el parque con mis hijos.
10 ¿Dónde _____ nosotros ahora?

PREPOSITIONS OF PLACE

4 Look at the drawing and say where the objects are.

1 El ordenador *está encima de* la mesa.
2 La lámpara _____ del ordenador.
3 El móvil _____ la lámpara y el ordenador.
4 Las zapatillas _____ la cama.
5 La ventana _____ la mesa.
6 La silla _____ la mesa.

DEMONSTRATIVES

5 Choose the correct word.

1 *Este / Estos* es mi hermano Luis.
2 *Este / Esta* es el mapa de España.
3 *Este / Esta* ordenador es de mi padre.
4 ¿*Estos / Este* libros son de Pedro?
5 *Estas / Esta* chicas son de mi clase.
6 *Estas / Esta* es mi familia.

VOCABULARY

6 Find the odd man out.

1 diccionario • mapa • bolígrafo • coche
2 primo • madre • profesora • tío
3 abuelo • soltero • divorciado • casado
4 treinta • cuarto • cuarenta • sesenta
5 encima • debajo • sofá • al lado
6 hijo • padre • abuelo • tía
7 prima • madre • marido • novia
8 es • este • esta • estos
9 casas • autobús • mapas • mesas
10 autobús • silla • gafas • ordenador

3 Gramática y vocabulario

GRAMÁTICA

REFLEXIVE VERBS. PRESENT

		levantar(se)	acostar(se)
yo	me	levanto	acuesto
tú	te	levantas	acuestas
él / ella / Ud.	se	levanta	acuesta
nosotros/as	nos	levantamos	acostamos
vosotros/as	os	levantáis	acostáis
ellos / ellas / Uds.	se	levantan	acuestan

➡ Reflexive pronouns are used with verbs where the subject performs an action on himself / herself: *lavarse, ducharse, peinarse, afeitarse,* etc.

➡ When the action is not performed on the subject, the verb does not need a reflexive pronoun.

María **se lava** <u>la cara</u>.
María **lava** <u>la ropa</u>.

➡ There are other verbs which have these pronouns, even though they are not reflexive *llamarse, quedarse, casarse,* etc.

IRREGULAR VERBS. PRESENT

Verbs with a vowel change	
empezar	volver
(e>ie)	(o>ue)
emp**ie**zo	v**ue**lvo
emp**ie**zas	v**ue**lves
emp**ie**za	v**ue**lve
empezamos	volvemos
empezáis	volvéis
emp**ie**zan	v**ue**lven

Other irregular verbs		
ir	venir	salir
voy	vengo	salgo
vas	vienes	sales
va	viene	sale
vamos	venimos	salimos
vais	venís	salís
van	vienen	salen

PREPOSITIONS OF TIME

Days		
El lunes		la mañana
Hoy	por	la tarde
El sábado		la noche

Times			
Son	las diez		la mañana
	las cinco	de	la tarde
A	las tres		la noche
			la madrugada

*Rosa se levanta **a** las siete.*
*Carlos sale de casa **a** las ocho.*
*Yo trabajo **desde** las ocho **hasta** las tres.*
*Yo no trabajo **por** la tarde.*
*Ella termina su trabajo **a** las cinco **de** la tarde.*
*Rosa vuelve a su casa **a** las cuatro.*
*Mi jefe trabaja **de** ocho **de** la mañana **a** ocho **de** la tarde.*

VOCABULARIO

EVERYDAY ACTION VERBS

levantarse • acostarse • lavarse • ducharse
bañarse • peinarse • afeitarse
desayunar • comer • cenar
estudiar • trabajar • empezar • terminar

VERBS OF MOVEMENT

salir • ir • venir • entrar • llegar • volver

PROFESSIONS

médico/a • enfermero/a • informático/a
cocinero/a • camarero/a • secretario/a
cajero/a • profesor/a • dependiente/a
estudiante • recepcionista • azafato/a

BREAKFAST

leche • té • mantequilla • mermelada
zumo • huevo • queso • bollos
café • bocadillo • tostada

DAYS OF THE WEEK

lunes • martes • miércoles • jueves
viernes • sábado • domingo

Ejercicios prácticos

REFLEXIVE VERBS. PRESENT

1 Complete with the verb in brackets in the present tense.

1 ■ ¿A qué hora _se levantan_ tus hijos? (levantarse)
 ● El niño ____ _____ a las siete y las niñas, a las ocho, porque sus clases empiezan más tarde. (levantarse)

2 ■ ¿____ _____ por la mañana o por la noche? (ducharse, tú)
 ● Normalmente por la noche, pero los domingos siempre ____ _____ por la mañana. (ducharse, yo)

3 ■ ¿A qué hora ____ _____ los sábados? (acostarse, vosotros)
 ● ____ _____ tarde, a la una o las dos de la madrugada. (acostarse, nosotros)

4 Juan no ____ _____ todos los días. (afeitarse)

5 Nuestros vecinos ____ _____ muy temprano porque trabajan a las afueras de la ciudad. (levantarse)

6 Yo nunca ____ _____ pronto porque llego del trabajo a las nueve de la noche. Después ceno y veo un rato la tele. (acostarse)

IRREGULAR VERBS. PRESENT

2 Write the form of the verb.

1   empezar, él   _empieza_
2   volver, yo
3   ir, nosotros
4   empezar, vosotros
5   ir, ellos
6   volver, Ud.
7   venir, yo
8   salir, yo
9   venir, ellos
10 ir, yo
11 volver, ellos
12 salir, Ud.
13 venir, Uds.
14 empezar, tú
15 volver, nosotros

PREPOSITIONS

3 Complete using the correct preposition.

1 Yo empiezo a trabajar <u>a</u> las ocho <u>de</u> la mañana.
2 José no trabaja ____ la tarde.
3 Paloma trabaja ____ las ocho ____ las tres.
4 Los domingos ____ la mañana voy al Rastro.
5 Los sábados ____ la noche voy ____ la discoteca.
6 Yo salgo ____ casa ____ las ocho ____ la tarde.
7 Mi hija va ____ la escuela ____ la mañana.
8 Los días de fiesta nos levantamos ____ las diez.
9 María va al trabajo ____ coche. Sale de su casa ____ las ocho y llega ____ las ocho y media.
10 Mi marido trabaja ____ ocho ____ la mañana ____ ocho ____ la tarde.

PROFESSIONS

4 Match up the professions with the places of work.

1 médico
2 azafata
3 profesor
4 camarero
5 recepcionista

a colegio
b hospital
c restaurante
d hotel
e aeropuerto

BREAKFAST

5 Match up a word from the left with one from the right.

1 café
2 zumo
3 pan
4 leche
5 bocadillo

a de naranja
b de queso
c con leche
d con tomate
e con cacao

6 Complete using the words in the box.

zumo de naranja • qué desean • dos también • y tú • una tostada

■ Buenos días, ¿[1] _____?
● Yo quiero un té con leche, ¿[2] _____?
▲ Yo un zumo de naranja y [3] _____.
● Sí, yo [4] _____ quiero una tostada.
■ Muy bien, entonces un té con leche, un [5] _____ y [6] _____ tostadas.

GRAMÁTICA

ORDINALS

1.° / 1.ª primero/a	6.° / 6.ª sexto/a
2.° / 2.ª segundo/a	7.° / 7.ª séptimo/a
3.° / 3.ª tercero/a	8.° / 8.ª octavo/a
4.° / 4.ª cuarto/a	9.° / 9.ª noveno/a
5.° / 5.ª quinto/a	10.° / 10.ª décimo/a

➡ Ordinals are used, for example, for the floors in a building or a position in a list.

>Mi amigo vive en el **cuarto** piso.
>Luis siempre llega el **primero**.

➡ Ordinals agree in number and gender with the noun they qualify.

>Mi clase está en la **segunda** planta.
>Yo tengo los **primeros** discos de este grupo.

➡ The ordinals **primero** and **tercero** lose the –o before a masculine singular noun.

>Estudio **tercer**(o) curso de Inglés.
>Vivo en el **primer**(o) piso.

ARTICLES

	Definite		Indefinite	
	For something we know.		For something we mention for the first time.	
	masc.	fem.	masc.	fem.
singular	el	la	un	una
plural	los	las	unos	unas

➡ Definite articles are used:
- When we talk about something we know.
  >Cierra **la** ventana.
- With the time.
  >Son **las** cinco.
- With the days of the week.
  >**Los** viernes vamos al cine.

➡ Indefinite articles are used:
- When we mention something for the first time.
  >Tengo **un** coche nuevo.
- With the verb **haber**.
  >¿Dónde hay **una** silla?

HAY / ESTÁ(N)

➡ We use **hay** to talk about the existence or absence of people, animals, places or objects.

>**Hay** vasos en la cocina.

➡ With **hay**, nouns can never be accompanied by a definite article.

>En mi pueblo no **hay** (la) universidad.

Mamá, no hay leche.

➡ We use **está(n)** to indicate a place.
>La leche **está** en la nevera.
>¿Dónde **están** mis libros?

VOCABULARIO

THINGS IN THE HOME

armario • ascensor • frigorífico / nevera
espejo • sillón • lavabo • lámpara • llave
microondas • cocina • cuarto de baño
dormitorio / habitación • salón / comedor
garaje • jardín • piscina • patio

WHERE?

derecha • izquierda • arriba • abajo

Ejercicios prácticos

ORDINALS

1 Write the ordinal numbers.

a 9.º _noveno_
b 1.º _____
c 3.ª _____
d 6.º _____
e 8.ª _____
f 10.º _____
g 4.º _____
h 2.ª _____
i 5.ª _____
j 7.ª _____

ARTICLES

2 Choose the correct article.

1 *La / Un* televisión está en el salón.
2 Tengo *un / las* microondas nuevo.
3 *Los / Unos* platos blancos están en el armario de *la / una* cocina.
4 *Una / La* cartera de Pablo está en *una / la* silla.
5 *Los / Unas* cojines del sofá son azules.
6 *Una / La* familia de Concha cena siempre en *la / una* cocina.
7 Este es *el / un* ordenador de mi hermano.
8 Desayuno *un / el* vaso de leche todas *unas / las* mañanas.
9 Limpio *un / el* cuarto de baño de mi casa todos *unos / los* días.
10 *Los / Unos* sábados me levanto a *las / los* nueve.

3 Complete with the correct article.

1 Estudio español desde _____ doce años.
2 Empiezo _____ clases a _____ nueve de _____ mañana.
3 ■ ¿Cuándo recoges _____ cocina?
   ● Cuando termino de ver _____ televisión.
4 _____ reloj está encima de _____ mesa.
5 En _____ países árabes no trabajan _____ viernes.
6 _____ veranos en Andalucía son calurosos.
7 Mi padre está en _____ jardín con _____ hijos de Javier.
8 ¿Dónde están _____ llaves de _____ puerta?
9 En el salón hay _____ sofá, seis sillas y _____ mesa.
10 Tienen _____ casa en _____ campo con _____ jardín muy bonito.

HAY / ESTÁ(N)

4 Fill in the gaps with *hay / está / están*.

En mi casa (1) _____ dos dormitorios, un salón, una cocina y un baño. En el cuarto de baño (2) _____ una ducha. En el salón (3) _____ una librería, y allí (4) _____ los libros de lectura. Tenemos dos ordenadores. (5) _____ uno en mi habitación y el otro (6) _____ en el salón. También (7) _____ en el salón el equipo de música y la televisión. En los dormitorios no (8) _____ televisión. ¿Cuántas televisiones (9) _____ en tu casa? ¿Dónde (10) _____?

5 Write the questions for these answers.

1 ¿_____?
   La leche está en el frigorífico.
2 ¿_____?
   No hay mucho café en la cafetera.
3 ¿_____?
   Hay un vaso en la cocina.
4 ¿_____?
   Mis amigos están en el cine.
5 ¿_____?
   Hay tres sillas en el salón.
6 ¿_____?
   Mis padres están bien, gracias.
7 ¿_____?
   El microondas está encima del horno.
8 ¿_____?
   Hay tres coches en el garaje.

VOCABULARY

6 Find the odd man out.

1 cocina • salón • frigorífico • garaje
2 tercero • seis • quinto • primero
3 fregadero • horno • microondas • sillón
4 televisión • espejo • toalla • lavabo
5 librería • lavadora • televisión • lámpara
6 derecha • izquierda • norte • arriba
7 el • los • las • unos
8 una • la • un • unas
9 recepcionista • hotel • restaurante • colegio
10 los • la • unas • una

GRAMÁTICA

THE VERB *GUSTAR*. PRESENT

(a mí)	me		
(a ti)	te	**gusta**	el cine / la música / viajar
(a él / ella / Ud.)	le		
(a nosotros/as)	nos		
(a vosotros/as)	os	**gustan**	los museos / los deportes / las plantas
(a ellos / ellas / Uds.)	les		

→ The verb *gustar* is used in the third person, singular or plural, depending on the grammatical subject.

A mí **me gusta** el cine.
A mí **me gustan** las películas de terror.

A ti **te gusta** la música clásica.
A ti **te gusta** bailar.
¿A ti **te gustan** los videojuegos?

A él **le gusta** el chocolate.
A ella no **le gustan** los deportes.
¿A usted **le gusta** el pescado?

A nosotros **nos gusta** el fútbol.
A nosotras **nos gustan** los pasteles.

¿A vosotros **os gusta** esquiar?
¿A vosotras **os gustan** los museos?

A ellas **les gusta** el arte.
A ellos **les gustan** los animales.
¿A ustedes **les gusta** pescar?

GUSTAR

+ Me **encanta** escuchar música.
Me gusta **mucho** cocinar.
Me gusta **bastante** leer.
No me gustan **mucho** los deportes.
No me gusta bailar.
− **No** me gusta **nada** ir de compras.

TAMBIÉN / TAMPOCO - SÍ / NO

● Me encanta el cine. ☺
■ A mí **también**. ☺
▲ Pues a mí **no**. ☹
● No me gusta montar en bicicleta. ☹
■ A mí **tampoco**. ☹
▲ Pues a mí **sí**. ☺

THE VERB *QUERER*. PRESENT

Present of the verb *querer*	
yo	quiero
tú	quieres
él / ella / Ud.	quiere
nosotros/as	queremos
vosotros/as	queréis
ellos / ellas / Uds.	quieren

*Mamá, **quiero** un helado.*
*Mamá, hoy no **quiero** sopa, quiero pasta.*

→ It is not normally considered polite to use the verb *querer* in the present to express wishes, so we make it less direct by using the *pretérito imperfecto* tense (*quería...*). But in one case it is usual to use **quiero...**, when ordering in a restaurant.

IMPERATIVE (REGULAR VERBS)

	cortar	comer	abrir
tú	corta	come	abre
usted	corte	coma	abra

→ The imperative is used to give orders and instructions and to ask favours.

Corta la lechuga en trozos pequeños.
Come la sopa, por favor.
Abre el libro, Peter.

VOCABULARIO

BASIC FOODS

arroz • pan • carne • ensalada
pescado • fruta • huevos • queso
patatas • sal • azúcar

DRINKS

agua • cerveza • refresco • vino • zumo

LEISURE ACTIVITIES

bailar • escuchar música
navegar en internet • ir al teatro
ir de compras • ir a la discoteca
montar en bicicleta • viajar
hacer deporte • andar

Ejercicios prácticos

THE VERBS *GUSTAR* AND *QUERER*

1 Choose the correct alternative.

1 A Luis *quiere / le gustan* mucho los macarrones.
2 Óscar no *quiere / le gusta* carne.
3 Marisa hoy no *quiere / le gusta* beber agua, quiere vino.
4 A nosotros *nos gusta / queremos* el gazpacho.
5 A Elena no *quiere / le gustan* nada las verduras.
6 Federico *quiere / le gustan* muchos caramelos.
7 A Rosa *le gusta / quiere* mucho leer.
8 No *queremos / gustan* más café.
9 Javier y Clara *les gusta / quieren* comer más.
10 A Javier y a Clara no *les gusta / quieren* comer mucho.

2 Make sentences using the verb *gustar* or *encantar*.

1 Luis / helados
   A Luis le gustan mucho los helados.
   A Luis le encantan los helados.
   A Luis no le gustan los helados.
2 Marta / jugar al tenis
3 Los niños / Matemáticas
4 Elvira / montar en bici
5 Juanjo / películas de ciencia-ficción
6 Nosotros / viajar
7 Ellas / ir de compras
8 Mi marido / ópera
9 ¿Vosotros / comida española?
10 ¿Tú / carne?
11 Yo / música clásica
12 Mis hermanas / plantas

3 Order the words correctly to form sentences.

1 Pablo / mucho / ir / gusta / cine / a / al / le
2 café / no / el / gusta / me / mí / a
3 Pablo / les / a / Rosa / gusta / a / nadar / y
4 Ana / no / los / hacer / deberes / nada / le / a / gusta
5 nosotros / no /gustan / nos / lunes / a / los
6 viajar / mucho / les / a / ellas / gusta
7 ¿ a / gatos / gustan / vosotros / os / los?
8 tío / encanta / a / la / clásica / mi / música / le
9 ¿gustan / te / caracoles / los?
10 trabajar / a / Ismael / mucho / le / no / gusta
11 gazpacho / el / María /no / mucho / gusta / a / le
12 verduras / los / las / niños / gustan / no / a / les

IMPERATIVE

4 Write the imperative.

1 Beber / agua
   Bebe agua
2 Comer / más
3 Escribir / en tu cuaderno
4 Cortar / el pan
5 Trabajar / más
6 Hablar / menos
7 Estudiar / Historia
8 Entrar / por aquí
9 Mirar / a la pizarra
10 Abrir / la puerta

FOOD AND DRINK

5 Classify these foods and drinks into First course, Second course, Dessert and Drinks.

natillas • helado • sopa de fideos • vino blanco
fruta • ensalada • merluza a la plancha
escalope de ternera • cerveza • pollo asado
agua mineral • flan • chuletas de cordero
vino tinto • espárragos con mayonesa • queso

Primero	Postre
-----------------	-----------------
-----------------	-----------------
-----------------	-----------------
-----------------	-----------------

Segundo	Bebida
-----------------	-----------------
-----------------	-----------------
-----------------	-----------------

LEISURE ACTIVITIES

6 Insert the vowels to complete the words.

1 b _ _ l _ r
2 v _ _ j _ r
3 n _ d _ r
4 l _ _ r
5 _ nd _ r
6 n _ v _ g _ r por _nt _ r n _ t
7 m _ nt _ r en b _ c _ cl_ t _
8 _ r al t _ _ tr _
9 v _ r _ n _ p _ l _ c _ l _
10 h _ c _ r d _ p _ rt _

7 Match up the words to make leisure activities.

1 andar
2 navegar
3 ir
4 ver
5 montar
6 leer
7 jugar

a al fútbol / al tenis
b el periódico / una novela
c de compras
d por la montaña / por el campo
e en el mar / en internet
f una película / una exposición
g en bicicleta

GRAMÁTICA

IRREGULAR IMPERATIVES

➡ Verbs in the imperative have the same irregularities as in the present tense.

Infinitive	Present	Imperative
cerrar	cierro	cierra, cierre
dormir	duermo	duerme, duerma
sentarse	me siento	siéntate, siéntese
poner	pongo	pon, ponga
decir	digo	di, diga
venir	vengo	ven, venga
hacer	hago	haz, haga
irse	voy	vete, váyase
salir	salgo	sal, salga
hervir	hiervo	hierve, hierva
tener	tengo	ten, tenga
torcer	tuerzo	tuerce, tuerza
seguir	sigo	sigue, siga

➡ The imperative is used:
- To give instructions and advice.
  Primero **eche** una cucharada de sal, luego **hierva** el arroz durante…
  Si te duele la cabeza, **toma** una pastilla y **acuéstate**.
- To make requests or give orders, especially when followed by **por favor**.
  Habla más despacio, <u>por favor</u>.
  Siéntese, <u>por favor</u>.
  ¡**Ven** aquí ahora mismo!

Toma este vaso de leche y acuéstate.

SER / ESTAR

Ser

➡ Is used to describe the characteristics or qualities of someone or something: size, colour, character …
  Luis **es** alto y delgado.
  Su casa **es** pequeña.
  Su coche **es** rojo.
  Luis **es** muy simpático.

➡ It is also used to express nationality, profession, possession …
  Mary **es** inglesa.
  ¿Ellos **son** médicos?
  Ese libro no **es** mío.

Estar

➡ Is used to express location or position.
  El colegio **está** en la c/ Velázquez.
  La parada de autobús **está** enfrente de mi casa.

➡ It is also used to talk about states of health and state of mind.
  Clara **está** enferma, tiene gripe.
  Hoy **estoy** muy contenta.

➡ With the adverbs **bien** and **mal**, we always use **estar**.
  Este ejercicio **está** (es) mal.

VOCABULARIO

TRANSPORT

billete • autobús • metro • tren
línea de metro • viaje • estación • parada

ADJECTIVES

tranquilo • ruidoso • céntrico • rápido • frío
lento • malo • pequeño • fácil • difícil • bueno

ADVERBS

cerca • lejos • bien • mal

Ejercicios prácticos

IRREGULAR IMPERATIVES

1 Write the imperative.

1 dormir (usted)
2 hacer (tú)
3 salir (tú)
4 poner (usted)
5 tener (usted)
6 irse (usted)
7 venir (tú)
8 decir (usted)
9 hervir (usted)
10 cerrar (usted)
11 torcer (tú)
12 seguir (tú)
13 acostarse (usted)
14 poner (tú)
15 venir (usted)
16 sentarse (tú)
17 ponerse (usted)
18 tomar (tú)

2 Complete the sentences using the imperative of the verbs in the box.

> sentarse • decir • cerrar • irse • tener • dormir
> hacer • venir • ponerse • salir • acostarse

1 (usted) _____ con cuidado. El suelo está mojado.
2 Hace mucho frío. (tú) _____ la ventana, por favor.
3 (tú) _____ paciencia. Vuelvo enseguida.
4 Pedro, _____ la gorra. Hace mucho sol.
5 (tú) _____ temprano. Mañana es lunes.
6 (usted) _____ el ejercicio número seis para mañana.
7 _____ tu nombre y tu fecha de nacimiento.
8 (tú) _____ a la cama y _____ tranquilo. Yo me encargo de todo.
9 (usted) _____ un momento, por favor. El doctor la atiende enseguida.
10 (tú) _____ a mi casa a ver el partido.

SER / ESTAR

3 Choose the correct form.

1 Alicia y José Luis *son / están* en Málaga.
2 El piso *es / está* en un barrio tranquilo.
3 La profesora de mi hijo *es / está* muy joven.
4 ¿Dónde *están / está* mi móvil?
5 Siempre *es / está* de buen humor.
6 Estos zapatos *son / están* muy caros.
7 ¿Quién *está / es* ese chico nuevo?
8 Tu barrio no *es / está* muy lejos del centro.
9 Mis amigos no *son / están* aficionados al baloncesto.
10 Mi madre *es / está* muy mayor, pero *es / está* muy bien de salud.
11 Mi novio *es / está* informático. Trabaja mucho.
12 Susana hoy *es / está* muy nerviosa, pero normalmente *es / está* una persona tranquila.

4 Complete the sentences with the correct form of *ser* or *estar*.

1 Mañana _____ el día de mi cumpleaños.
2 Faysal y Nizha _____ de Marruecos.
3 Hoy la paella _____ muy buena.
4 Galicia _____ en el norte de España.
5 Mi amigo Miguel _____ muy inteligente.
6 Mi casa no _____ muy grande.
7 ¿(tú) _____ en casa por las tardes?
8 ¿Tu barrio _____ tranquilo?
9 ¿(vosotros) _____ preparados para empezar?
10 Los padres de María _____ periodistas.

VOCABULARY

5 Find the odd man out.

1 metro • tren • céntrico • avión
2 rápido • billete • lento • ruidoso
3 bueno • cerca • lejos • bien
4 ven • haz • toma • viajo
5 coches • arroz • calles • estación
6 Roma • Inglaterra • París • perro
7 grande • pequeño • tranquilo • bien
8 cierra • toma • ven • habla
9 pon • diga • ven • vete
10 venga • haga • vete • váyase

GRAMÁTICA

THE GERUND OF REGULAR VERBS

Infinitive	Gerund
llorar	llor**ando**
comer	comi**endo**
escribir	escrib**iendo**

THE GERUND OF IRREGULAR VERBS

Infinitive	Gerund
leer	leyendo
dormir	durmiendo

ESTAR + GERUND

Estar + Gerund		
yo	estoy	
tú	estás	
él / ella / Ud.	está	
nosotros/as	estamos	hablando
vosotros/as	estáis	
ellos / ellas / Uds.	están	

→ *Estar* + gerund usually expresses actions that are happening at the time of speaking.

- ¿Qué **estás haciendo**?
- **Estoy leyendo** *el periódico*.

ESTAR + GERUND (REFLEXIVE VERBS)

Estoy lavándome. / Me estoy lavando.
Estás lavándote. / Te estás lavando.
Está lavándose. / Se está lavando.
Estamos lavándonos. / Nos estamos lavando.
Estáis lavándoos. / Os estáis lavando.
Están lavándose. / Se están lavando.

VOCABULARIO

TALKING ON THE PHONE

¿Sí? • No está en este momento
¿Quiere dejar un recado? • ¿Diga?

ACTIVITY VERBS

leer el periódico

jugar a las cartas

lavarse

pintar

ir al cine

bañarse

bailar

pasear

jugar al fútbol

DESCRIPTIONS OF PEOPLE

- PELO: rubio / moreno / largo / corto
- OJOS: claros / oscuros / marrones / verdes
- ES: mayor / joven / alto / bajo / delgado / gordo
- LLEVA: barba / bigote / gafas

CHARACTER

simpático • antipático • tacaño
generoso • hablador • serio
alegre • educado • callado

Ejercicios prácticos

ESTAR + GERUND (REFLEXIVE VERBS)

1 Complete as in the example.

1 ■ ¿Qué estás haciendo?
  ● Me estoy duchando. = _Estoy duchándome._
2 ■ ¿Dónde está Manolo?
  ● Se está afeitando. = _____
3 ¿Todavía te estás bañando? = _____
4 ■ ¿Qué hacéis?
  ● _____ = Nos estamos arreglando.
5 _____ = Los niños ya se están acostando.
6 María se está lavando los dientes. = _____
7 ■ ¿Qué haces ahora?
  ● _____ = Me estoy pintando las uñas.
8 ■ ¿Qué está haciendo Raquel?
  ● _____ = Se está vistiendo.

TALKING ON THE PHONE

2 Complete using the words in the box.

> muchas gracias • recado • momento

■ Agencia Segurarte. Buenos días.
● Buenos días. ¿Puedo hablar con el Sr. González?
■ Lo siento, en este _____ no está. ¿Quiere dejarle un _____?
● Sí, por favor, dígale que soy Laura García y que mañana no puedo ir a la cita.
■ De acuerdo. Le dejo una nota.
● Muy bien. _____.

ACTIVITY VERBS

3 Match up the verbs with the noun phrases.

1 jugar   a la siesta
2 dormir   b el coche
3 bañarse   c a internet
4 lavar   d a los videojuegos
5 pintarse   e con los amigos
6 salir   f en la piscina
7 conectarse   g al teatro
8 ir   h los labios

DESCRIPTIONS OF PEOPLE

4 Look at the drawing and fill in the gaps.

Tiene
- el pelo
  - rubio / _____ / castaño
  - largo / _____
  - rizado / _____
- los ojos
  - claros / _____
  - marrones / azules

Tiene / Lleva
- barba
- _____
- _____

Es
- mayor / _____
- alto / bajo
- _____ / gordo

GRAMÁTICA

PRETÉRITO INDEFINIDO (REGULAR VERBS)

Trabajar	Comer	Salir
trabajé	comí	salí
trabajaste	comiste	saliste
trabajó	comió	salió
trabajamos	comimos	salimos
trabajasteis	comisteis	salisteis
trabajaron	comieron	salieron

➡ The *pretérito indefinido* expresses actions that finished at a specific time in the past.

> Ayer **trabajé** mucho.
> El verano pasado **estuve** en Cancún.

PRETÉRITO INDEFINIDO (IRREGULAR VERBS)

Hacer	Ir / Ser	Estar
hice	fui	estuve
hiciste	fuiste	estuviste
hizo	fue	estuvo
hicimos	fuimos	estuvimos
hicisteis	fuisteis	estuvisteis
hicieron	fueron	estuvieron

VOCABULARIO

ESTABLISHMENTS

farmacia • oficina de correos • comisaría
iglesia • museo • quiosco • mercado • estanco

OBJECTS

medicinas • cartas • periódicos
sellos • tabaco

THE SEASONS OF THE YEAR

el invierno   **la primavera**   el verano   **el otoño**

THE MONTHS OF THE YEAR

enero • febrero • marzo • abril • mayo
junio • julio • agosto • septiembre • octubre
noviembre • diciembre

THE WEATHER

llover • llueve • está lloviendo • nevar • nieva
está nevando • hace frío • hace (mucho) calor
hace viento • está nublado

está lloviendo   está nevando

hace mucho calor   **hace viento**

hace frío   está nublado

Ejercicios prácticos

PRETÉRITO INDEFINIDO (REGULAR VERBS)

1 Complete the sentences with the *pretérito indefinido* of the verbs in the box.

> ver • ganar • invitar • escuchar
> jugar • salir • vivir • escribir
> comprar • llegar

1 El sábado pasado _____ (yo) muy tarde de trabajar.
2 ¿(tú) _____ ayer las noticias en la tele?
3 Ayer, después de cenar, Pablo y yo _____ un rato al ajedrez.
4 Mis primos nos _____ a la fiesta de cumpleaños de su hija el domingo pasado.
5 Pablo Picasso _____ muchos años en París.
6 La semana pasada (yo) _____ en la radio el último disco de Serrat.
7 Cervantes _____ *El Quijote* en el siglo XVII.
8 Mi compañero _____ tarde a la reunión del jueves.
9 ¿Dónde (tú) _____ los libros de español ayer?
10 ¿Quién _____ el partido el domingo?

PRETÉRITO INDEFINIDO (IRREGULAR VERBS)

2 Complete the sentences with the *pretérito indefinido* of ir / ser / estar.

1 El jueves por la tarde no _____ en casa. _____ al cine con los niños. (nosotros)
2 El domingo pasado no hizo sol. _____ un día muy frío.
3 ■ ¿Cuándo _____ Ana y tú a Buenos Aires?
   ● _____ las Navidades pasadas.
4 ¿Quién _____ el primero en llegar en la carrera del sábado pasado?
5 No _____ ayer a trabajar. _____ en el médico. (yo)

3 Make questions as in the example.

1 Ir al teatro el jueves. (tú)
   ¿Fuiste al teatro el jueves?
2 Ver la última película de Almodóvar. (vosotros)
3 Mandar un correo electrónico a Carlos. (Elena)
4 Estar en la montaña el fin de semana pasado. (tú)
5 Vivir en París. (Joan Miró)
6 Comer fabada en Asturias. (vosotros)
7 Conocer a los padres de Ana el verano pasado. (tú)
8 Levantarse muy tarde ayer. (tus hijos)
9 Ir a la playa el verano pasado. (vosotros)
10 Ser el último en llegar. (tú)
11 Trabajar hasta muy tarde ayer. (vosotros)

4 Fill in the gaps in the text using the words in the box.

> fue • hace • estuvo • hizo • está

Ayer el tiempo estuvo variable en las distintas zonas de España. En el norte (1) _____ lloviendo e (2) _____ mucho frío. En el este hizo viento y estuvo nublado. En el centro y en el sur, la temperatura (3) _____ más suave. Hoy también (4) _____ lloviendo en el norte de España y en el sur (5) _____ sol y calor.

VOCABULARY

5 Find the odd man out.

1 farmacia • medicinas • mercado • estanco
2 verano • periódicos • sellos • fruta
3 primavera • verano • agosto • invierno
4 septiembre • enero • mayo • otoño
5 viento • nieve • verano • calor
6 frío • llover • nevar • hacer
7 compró • nevó • salió • llueve
8 salió • termino • empezó • comió
9 trabajé • comí • estuve • fue
10 sale • lleva • fue • corre

GRAMÁTICA

DEMONSTRATIVE ADJECTIVES AND PRONOUNS

Demonstrative adjectives and pronouns		
	singular	plural
masculine	este /ese / aquel	estos / esos / aquellos
feminine	esta / esa / aquella	estas / esas / aquellas

Demonstrative pronouns (neuter)		
esto	eso	aquello

➡ Demonstrative adjectives go before the noun and agree with it in number and gender.

Este coche es de mi vecino.

Esas chicas son muy simpáticas.

➡ The demonstrative pronouns *esto*, *eso* and *aquello* never go with a noun. They refer to an idea or to something whose gender we do not know.

Esto no me gusta nada.

¿Qué es aquello que se ve en el cielo?

➡ The use of one pronoun rather than another tells us whether the thing referred to is near or far away.

Este coche. (cerca del hablante, aquí)

Ese coche. (cerca del oyente, ahí)

Aquel coche. (lejos de los dos, allí)

DIRECT OBJECT PRONOUNS

subject	object
yo	me
tú	te
él / ella / Ud.	lo / la / le
nosotros/as	nos
vosotros/as	os
ellos / ellas / Uds.	los / las / les

¿Compramos las flores? = *¿Las compramos?*

Hoy no he visto a tu padre. = *Hoy no lo he visto.*

¿Sabes que vendo mi casa? = *¿Sabes que la vendo?*

➡ Normally, direct object pronouns go before the verb and are separate from it.

Te quiero.

➡ But with the imperative, they are tagged onto the end of the verb.

¡Mírame!

Cómpralo, por favor.

➡ In some constructions, either form is possible.

La puerta está abierta, ¿puedes cerrarla? = *¿la puedes cerrar?*

AGREEMENT OF NOUNS AND ADJECTIVES OF COLOUR

➡ Adjectives agree in number and gender with the noun they qualify.

¿Puedo coger el bolígrafo rojo?

Tengo unos pantalones marrones.

	singular	plural
masculine	blanco / verde / azul	blancos / verdes / azules
feminine	blanca / verde / azul	blancas / verdes / azules

➡ There are colours that are the names of plants, flowers or fruit, which are invariable:

pantalones rosa   *zapatos (de color) naranja*

COMPARATIVES

más + adjective + que
Juan es más simpático que Pedro.

menos + adjective + que
Pedro es menos simpático que Juan.

tan + adjective + como
Juan (no) es tan alto como Pedro.

IRREGULAR COMPARATIVES

bueno	mejor / mejores + que
Esta película es mejor que esa.	

malo	peor / peores + que
Esos pasteles son peores que estos.	

grande	mayor / mayores + que
Yo soy mayor que ella.	

pequeño	menor / menores + que
Sus hijos son menores que los míos.	

➡ *Mayor* y *menor* refer especially to age, not to size.

Mi hermano mayor es arquitecto.

Él es el menor de sus hermanos.

Su casa es más grande que la mía.

Mi ciudad es más pequeña que la tuya.

VOCABULARIO

CLOTHES AND ACCESSORIES

anillo • camisa • camiseta • cartera • collar
corbata • falda • gafas • jersey • medias
pendientes • vaqueros • zapatos
zapatillas deportivas

Ejercicios prácticos

SHOPPING

1 Put the following conversation in the correct order.

☐ Dependiente: 180 euros.
☐ Clienta: ¿Puedo probármelas?
☐ Dependiente: Buenos días, ¿puedo ayudarla?
☐ Cliente: Me gustan, me las llevo.
☐ Dependiente: Sí, estas están rebajadas, cuestan 120 euros.
☐ Cliente: Sí, ¿cuánto cuestan estas gafas de sol rojas?
☐ Dependiente: ¿Cómo paga, con tarjeta o en efectivo?
☐ Cliente: ¿No tiene otras más baratas?
☐ Dependiente: Sí, claro.
☐ Cliente: Con tarjeta.

DIRECT OBJECT PRONOUNS

2 Complete using the correct pronoun (*lo, la, los, las*), depending on the underlined part of the question.

1 ■ ¿Vendiste <u>el ordenador antiguo</u>?
  ● Sí, <u>lo</u> vendí el lunes pasado.
2 ■ ¿Viste ayer <u>a Rocío</u>?
  ● No, al final no ____ vi.
3 ■ ¿Viste anoche <u>la película de la tele</u>?
  ● No, no ____ vi.
4 ■ ¿Compraste <u>el periódico</u> el sábado pasado?
  ● No, no ____ compré.
5 ■ ¿Y compraste <u>los zapatos</u> que te encargué?
  ● No, no ____ compré, no tuve tiempo.
6 ■ ¿Estudiaste <u>los verbos</u> ayer?
  ● Sí, ____ estudié antes de acostarme.
7 ■ ¿Llevaste <u>al niño</u> al médico?
  ● Sí, ____ llevé el lunes.
8 ■ ¿Escuchaste <u>las noticias</u> en la radio?
  ● No, no ____ escuché, ¿por qué preguntas?
9 ■ ¿Llevaste <u>el coche</u> a arreglar?
  ● No, no ____ llevé, no tuve tiempo.
10 ■ ¿Llamaste por teléfono <u>a tus padres</u>?
  ● Sí, ____ llamé el domingo.
11 ■ ¿Y llamaste <u>a tus hermanas</u>?
  ● Sí, ____ llamé el sábado.
12 ■ ¿Hiciste <u>la cena</u>?
  ● No, no ____ hice, no tuve tiempo.
13 ■ ¿Viste <u>el cuadro</u> que ha comprado Luis?
  ● Sí, ____ vi el martes, es precioso.

3 Complete with a direct object pronoun: *me, te, lo (le), la, nos, os, los (les), las.*

1 Santiago, ¿vamos a tomar algo?, ____ invito.
2 Alicia ____ invitó a comer el día de su cumpleaños. (a nosotros)
3 ¿A vosotras no ____ invitó? Yo creo que se olvidó.
4 A mí ____ invita todos los años.
5 ■ ¿A ti ____ invitó?
  ● No, a mí no ____ invitó.
6 ■ Alicia, ¿el año pasado invitaste a Jaime y Paloma?
  ● Sí, claro que ____ invité.
7 Ana no tiene mucho dinero, ¿____ invitamos a ir al cine?
8 ■ ¿Y las hermanas de Jaime?
  ● A ellas yo no ____ invito, no me caen bien.
9 ■ Hoy ____ invito yo a tomar café, y mañana ____ invitas tú a mí, ¿vale?
  ● Vale.
10 ■ ¡Qué rollo! A nosotras no ____ invita nadie a café.
  ● Sí, yo ____ invito hoy.
11 Y a Andrés, ¿quién ____ invita?

COMPARATIVES

4 Complete using the comparatives in the box.

> menos… que • tan… como • mejor(es)
> más… que • peor(es) • mayor(es)

1 Nadar es _____ relajante _____ jugar a fútbol.
2 El pescado es _____ digestivo _____ la carne.
3 Estos zapatos no son _____ cómodos _____ esos.
4 Aquel coche es mucho _____ caro _____ este.
5 El vestido gris es _____ elegante _____ el rojo, pero no es _____ bonito.
6 Yo voy a este dentista porque es _____ que el otro.
7 Este restaurante es _____ que el otro. No me gusta nada.
8 Los productos de este mercado son _____ que los del otro mercado, por eso vengo siempre aquí.
9 Julia tiene veintiséis años, es _____ que su hermana, que tiene diez años.

GRAMÁTICA

THE VERB *DOLER.* PRESENT

(a mí)	me	
(a ti)	te	
(a él / ella / Ud.)	le	**duele** la cabeza
(a nosotros/as)	nos	**duelen** los oídos
(a vosotros/as)	os	
(a ellos / ellas / Uds.)	les	

➜ The verb *doler*, like *gustar*, is used in the third person, singular or plural, depending on the grammatical subject.

> *¿Te duele <u>la cabeza</u>?*
> *A Ana **le duelen** <u>los oídos</u>.*

THE *PRETÉRITO IMPERFECTO* TENSE (REGULAR VERBS)

viajar	tener	salir
viaj**aba**	ten**ía**	sal**ía**
viaj**abas**	ten**ías**	sal**ías**
viaj**aba**	ten**ía**	sal**ía**
viaj**ábamos**	ten**íamos**	sal**íamos**
viaj**abais**	ten**íais**	sal**íais**
viaj**aban**	ten**ían**	sal**ían**

➜ We use the *pretérito imperfecto* to express habitual actions in the past.

> *Cuando éramos jóvenes, **íbamos** a la discoteca.*
> *Ahora no salimos, pero antes **salíamos** mucho.*

➜ It is also used to describe the past.

> *Mi profesor de matemáticas **era** simpático y nunca nos **castigaba**.*

THE *PRETÉRITO IMPERFECTO* (IRREGULAR VERBS)

ir	ser	ver
iba	era	veía
ibas	eras	veías
iba	era	veía
íbamos	éramos	veíamos
ibais	erais	veíais
iban	eran	veían

IR A + INFINITIVE

Ir a + infinitive		
yo	voy a	
tú	vas a	
él / ella / Ud.	va a	
nosotros/as	vamos a	estudiar
vosotros/as	vais a	
ellos / ellas / Uds.	van a	

VOCABULARIO

THE HUMAN BODY

> brazo • cabeza • cara • cuello
> dedo • espalda • estómago • garganta
> hombro • mano • oído • oreja
> pecho • pie • pierna • rodilla

rodilla · pie · pierna · espalda · pecho · oreja · hombro · cuello · cara · brazo · mano · dedo

Ejercicios prácticos

THE VERB *DOLER*. PRESENT

1 Fill in the gaps with a pronoun and choose the correct form of the verb.

1 La música está muy alta. A mí ____ *duele / duelen* los oídos.
2 Cuando tomo mucho el sol ____ *duele / duelen* la cabeza.
3 Mi hermano lleva unos zapatos nuevos y ____ *duele / duelen* los pies.
4 ¿____ *duelen / duele* la garganta? Tómate un vaso de leche caliente.
5 Ayer comimos mucho y hoy ____ *duele / duelen* el estómago.

THE *PRETÉRITO IMPERFECTO* TENSE

2 Write the appropriate form of the verb.

1	ganar, yo	*ganaba*
2	entrar, tú	
3	ser, ella	
4	vivir, nosotros	
5	ir, ellos	
6	levantarse, yo	
7	leer, vosotros	
8	hacer, él	
9	comprar, ellos	
10	salir, tú	
11	ver, yo	

3 Write sentences in the *pretérito imperfecto*.

1 Elías / no tener / mucho dinero
2 Cuando / ser (yo) / joven / no comer / muchas verduras
3 ¿Dónde / vivir / Juan y Marta / cuando / estar / en Argentina?
4 Antes / le / ver (yo) / casi todos los días
5 Daniel / no estudiar / español / en la escuela.
6 ¿Cuál / ser (él) / asignatura favorita / cuando / ir / al colegio?
7 ¿Dónde / vivir (tú) / en Argentina?
8 ¿A qué hora / acostarse (tú) / cuando / ser / pequeño?

4 Correct the errors.

1 Ayer, a la salida del cine, llueve mucho.
2 ¿Dónde iba Isabel y Fernando cuando los visteis?
3 ¿A qué hora salir del colegio cuando eras pequeño?
4 Yo tenía dos horas de clase a la semana cuando estudio español.
5 Antes siempre desayunamos en una cafetería.

IR A + INFINITIVE

5 Complete using ir a + an infinitive from the box.

> jugar • visitar • comer • participar • celebrar
> ayudar • trabajar • repasar • viajar • comprar

1 Juanjo y Carlos _____ en una pizzería.
2 ¿Dónde _____ tu cumpleaños?
3 Manuel y yo _____ en un campeonato de ajedrez.
4 ¿(vosotros) _____ el partido de mañana?
5 ¿(tú) _____ a José a recoger la cocina?
6 Beatriz _____ a Brasil este verano.
7 El próximo verano (yo) _____ a mis amigos escoceses.
8 El año que viene Concha y yo _____ en una nueva empresa.
9 Mi hermano y su mujer _____ un coche nuevo.
10 (yo) _____ el vocabulario para el examen de mañana.

THE HUMAN BODY

6 Choose the correct alternative.

1 Ayer monté en bicicleta y hoy me duele la *cabeza / rodilla*.
2 Hoy no puedo comer porque me duele el *estómago / oído*.
3 Tengo gripe y me duele la *cara / cabeza*.
4 ¡Ten cuidado! No te cortes un *dedo / ojo* al partir el pan.
5 Tengo mucha tos y me duele el *hombro / pecho*.
6 Tengo que ir al dentista. ¡Me duelen mucho las *muelas / manos*!

Verbos

VERBOS REGULARES

Presente	Pretérito indefinido	Pretérito imperfecto	Imperativo	Gerundio
TRABAJAR				
trabaj**o**	trabaj**é**	trabaj**aba**		trabaj**ando**
trabaj**as**	trabaj**aste**	trabaj**abas**	trabaj**a** (tú)	
trabaj**a**	trabaj**ó**	trabaj**aba**	trabaj**e** (Ud.)	
trabaj**amos**	trabaj**amos**	trabaj**ábamos**		
trabaj**áis**	trabaj**asteis**	trabaj**abais**	trabaj**ad** (vosotros)	
trabaj**an**	trabaj**aron**	trabaj**aban**	trabaj**en** (Uds.)	
BEBER				
beb**o**	beb**í**	beb**ía**		beb**iendo**
beb**es**	beb**iste**	beb**ías**	beb**e** (tú)	
beb**e**	beb**ió**	beb**ía**	beb**a** (Ud.)	
beb**emos**	beb**imos**	beb**íamos**		
beb**éis**	beb**isteis**	beb**íais**	beb**ed** (vosotros)	
beb**en**	beb**ieron**	beb**ían**	beb**an** (Uds.)	
ESCRIBIR				
escrib**o**	escrib**í**	escrib**ía**		escrib**iendo**
escrib**es**	escrib**iste**	escrib**ías**	escrib**e** (tú)	
escrib**e**	escrib**ió**	escrib**ía**	escrib**a** (Ud.)	
escrib**imos**	escrib**imos**	escrib**íamos**		
escrib**ís**	escrib**isteis**	escrib**íais**	escrib**id** (vosotros)	
escrib**en**	escrib**ieron**	escrib**ían**	escrib**an** (Uds.)	

VERBOS IRREGULARES

Presente	Pretérito indefinido	Pretérito imperfecto	Imperativo	Gerundio
CERRAR				
cierro	cerré	cerraba		cerrando
cierras	cerraste	cerrabas	cierra (tú)	
cierra	cerró	cerraba	cierre (Ud.)	
cerramos	cerramos	cerrábamos		
cerráis	cerrasteis	cerrabais	cerrad (vosotros)	
cierran	cerraron	cerraban	cierren (Uds.)	
DAR				
doy	di	daba		dando
das	diste	dabas	da (tú)	
da	dio	daba	dé (Ud.)	
damos	dimos	dábamos		
dais	disteis	dabais	dad (vosotros)	
dan	dieron	daban	den (Uds.)	

Presente	Pretérito indefinido	Pretérito imperfecto	Imperativo	Gerundio
		DECIR		
digo	dije	decía		diciendo
dices	dijiste	decías	di (tú)	
dice	dijo	decía	diga (Ud.)	
decimos	dijimos	decíamos		
decís	dijisteis	decíais	decid (vosotros)	
dicen	dijeron	decían	digan (Uds.)	
		ESTAR		
estoy	estuve	estaba		estando
estás	estuviste	estabas	está (tú)	
está	estuvo	estaba	esté (Ud.)	
estamos	estuvimos	estábamos		
estáis	estuvisteis	estabais	estad (vosotros)	
están	estuvieron	estaban	estén (Uds.)	
		HACER		
hago	hice	hacía		haciendo
haces	hiciste	hacías	haz (tú)	
hace	hizo	hacía	haga (Ud.)	
hacemos	hicimos	hacíamos		
hacéis	hicisteis	hacíais	haced (vosotros)	
hacen	hicieron	hacían	hagan (Uds.)	
		IR		
voy	fui	iba		yendo
vas	fuiste	ibas	ve (tú)	
va	fue	iba	vaya (Ud.)	
vamos	fuimos	íbamos		
vais	fuisteis	ibais	id (vosotros)	
van	fueron	iban	vayan (Uds.)	
		OÍR		
oigo	oí	oía		oyendo
oyes	oíste	oías	oye (tú)	
oye	oyó	oía	oiga (Ud.)	
oímos	oímos	oíamos		
oís	oísteis	oíais	oíd (vosotros)	
oyen	oyeron	oían	oigan (Uds.)	
		PEDIR		
pido	pedí	pedía		pidiendo
pides	pediste	pedías	pide (tú)	
pide	pidió	pedía	pida (Ud.)	
pedimos	pedimos	pedíamos		
pedís	pedisteis	pedíais	pedid (vosotros)	
piden	pidieron	pedían	pidan (Uds.)	

Verbos

Presente	Pretérito indefinido	Pretérito imperfecto	Imperativo	Gerundio
PODER				
puedo	pude	podía		pudiendo
puedes	pudiste	podías	puede (tú)	
puede	pudo	podía	pueda (Ud.)	
podemos	pudimos	podíamos		
podéis	pudisteis	podíais	poded (vosotros)	
pueden	pudieron	podían	puedan (Uds.)	
PONER				
pongo	puse	ponía		poniendo
pones	pusiste	ponías	pon (tú)	
pone	puso	ponía	ponga (Ud.)	
ponemos	pusimos	poníamos		
ponéis	pusisteis	poníais	poned (vosotros)	
ponen	pusieron	ponían	pongan (Uds.)	
QUERER				
quiero	quise	quería		queriendo
quieres	quisiste	querías	quiere (tú)	
quiere	quiso	quería	quiera (Ud.)	
queremos	quisimos	queríamos		
queréis	quisisteis	queríais	quered (vosotros)	
quieren	quisieron	querían	quieran (Uds.)	
SABER				
sé	supe	sabía		sabiendo
sabes	supiste	sabías	sabe (tú)	
sabe	supo	sabía	sepa (Ud.)	
sabemos	supimos	sabíamos		
sabéis	supisteis	sabíais	sabed (vosotros)	
saben	supieron	sabían	sepan (Uds.)	
SALIR				
salgo	salí	salía		saliendo
sales	saliste	salías	sal (tú)	
sale	salió	salía	salga (Ud.)	
salimos	salimos	salíamos		
salís	salisteis	salíais	salid (vosotros)	
salen	salieron	salían	salgan	
SEGUIR				
sigo	seguí	seguía		siguiendo
sigues	seguiste	seguías	sigue (tú)	
sigue	siguió	seguía	siga (Ud.)	
seguimos	seguimos	seguíamos		
seguís	seguisteis	seguíais	seguid (vosotros)	
siguen	siguieron	seguían	sigan (Uds.)	

Presente	Pretérito indefinido	Pretérito imperfecto	Imperativo	Gerundio
SER				
soy	fui	era		siendo
eres	fuiste	eras	sé (tú)	
es	fue	era	sea (Ud.)	
somos	fuimos	éramos		
sois	fuisteis	erais	sed (vosotros)	
son	fueron	eran	sean (Uds.)	
TENER				
tengo	tuve	tenía		teniendo
tienes	tuviste	tenías	ten (tú)	
tiene	tuvo	tenía	tenga (Ud.)	
tenemos	tuvimos	teníamos		
tenéis	tuvisteis	teníais	tened (vosotros)	
tienen	tuvieron	tenían	tengan (Uds.)	
VENIR				
vengo	vine	venía		viniendo
vienes	viniste	venías	ven (tú)	
viene	vino	venía	venga (Ud.)	
venimos	vinimos	veníamos		
venís	vinisteis	veníais	venid (vosotros)	
vienen	vinieron	venían	vengan (Uds.)	
VER				
veo	vi	veía		viendo
ves	viste	veías	ve (tú)	
ve	vio	veía	vea (Ud.)	
vemos	vimos	veíamos		
veis	visteis	veíais	ved (vosotros)	
ven	vieron	veían	vean (Uds.)	
VOLVER				
vuelvo	volví	volvía		volviendo
vuelves	volviste	volvías	vuelve (tú)	
vuelve	volvió	volvía	vuelva (Ud.)	
volvemos	volvimos	volvíamos		
volvéis	volvisteis	volvíais	volved (vosotros)	
vuelven	volvieron	volvían	vuelvan (Uds.)	

Transcripciones

Antes de empezar

1

Profesora: ¡Hola! Me llamo Maribel y soy la profesora de español. Vamos a presentarnos. A ver, empieza tú, ¿cómo te llamas?
Estudiante 1: Me llamo Marcelo.
Profesora: ¿De dónde eres, Marcelo?
Estudiante 1: Soy brasileño, de Porto Alegre.
Estudiante 2: Yo me llamo Isabelle y soy francesa.

4

Las vocales:
A – E – I – O – U
Las consonantes: B – C – D – F – G – H – J – K – L – M – N – Ñ – P – Q – R – S – T – V – W – X – Y – Z
Los conjuntos de letras: CH – LL

5

ca: casa – **que:** queso – **qui:** quiero – **co:** color – **cu:** cuatro
ga: gato – **gue:** guerra – **gui:** guitarra – **go:** agosto – **gu:** agua
za: zapato – **ce:** cerrado – **ci:** cine – **zo:** zoo – **zu:** azul
ja: jamón – **je** / **ge:** jefe / genio – **ji** / **gi:** jirafa / gitano – **jo:** jota – **ju:** julio

7

1 erre-o-eme-e-erre-o; 2 de-i-a-zeta; 3 ge-o-ene-zeta-a-ele-uve-o; 4 erre-i-be-e-erre-a; 5 ge-i-eme-e-ene-e-zeta; 6 pe-a-de-i-ene

10

alemán – alemana – japonés – profesor – estudiante – profesora – brasileño – hospital – estudiar – libro – lección – compañero – madre

12

fiesta – hotel – cine – hospital – restaurante – flamenco – tango – bar – chocolate – café – salsa – playa – paella – guitarra – siesta

UNIDAD 1 - Saludos

2

En clase
Isabelle: ¡Hola, Marcelo!, ¿qué tal?
Marcelo: Bien, ¿y tú?
Isabelle: Muy bien. Mira, esta es Ulrike, una nueva compañera, es alemana.
Marcelo: ¡Hola! ¡Encantado! ¿Eres de Berlín?
Ulrike: Sí, pero ahora vivo en Madrid.

En un hotel
Recepcionista: Su nombre, por favor.
Fernando: Yo me llamo Fernando Álvarez y ella es Carmen Hernández.
Recepcionista: ¿De dónde son ustedes?
Fernando: Somos argentinos, de Buenos Aires.
Recepcionista: Ah, Buenos Aires... Aquí están sus tarjetas, bienvenidos a Madrid.
Fernando: Gracias.

En una oficina
Díaz: ¡Buenos días!, señor Álvarez, ¿qué tal está?
Álvarez: Muy bien, gracias. Mire, le presento a Marta Rodríguez, la nueva directora.
Díaz: Encantado de conocerla, yo me llamo Gerardo Díaz, y soy el responsable de administración.
Rodríguez: Mucho gusto, Gerardo.

4

En una cafetería
Luis: ¡Hola, Eva!, ¿qué tal?
Eva: Bien, ¿y tú?
Luis: Muy bien. Mira, este es Roberto, un compañero nuevo.
Eva: ¡Hola! ¡Encantada! ¿De dónde eres?
Roberto: Soy cubano.

7

1 China: chino / china; 2 Irán: iraní / iraní; 3 Reino Unido: británico / británica; 4 Turquía: turco / turca; 5 Sudáfrica: sudafricano / sudafricana; 6 Colombia: colombiano / colombiana; 7 Brasil: brasileño / brasileña; 8 Francia: francés / francesa; 9 Polonia: polaco / polaca; 10 Suecia: sueco / sueca; 11 Alemania: alemán / alemana; 12 Canadá: canadiense / canadiense

9

1 Secretaria: Hola, su nombre, por favor.
   Claudia: Sí, me llamo Claudia Pereyra.
   Secretaria: ¿Cómo se escribe su apellido?
   Claudia: Pe-e-erre-e-i griega-erre-a.
   Secretaria: ¿De dónde es usted, señora Pereyra?
   Claudia: Soy argentina.
   Secretaria: Muy bien, esta es su tarjeta.
   Claudia: Gracias.
2 Secretaria: Hola, ¿me dice su nombre?
   Francisco: Sí, me llamo Francisco Rodríguez.
   Secretaria: ¿Puede repetir, por favor?
   Francisco: Fran-cis-co Ro-drí-guez.
   Secretaria: ¿De dónde es usted?
   Francisco: Soy español, de Toledo.
   Secretaria: Vale. Aquí tiene su tarjeta.
   Francisco: Muchas gracias.
3 Secretaria: Buenos días, ¿me dice su nombre?
   Elizabeth: Sí, claro, me llamo Elizabeth Henríquez.
   Secretaria: ¿Puede deletrearlo, por favor?
   Elizabeth: Sí, e-ele-i-zeta-a-be-e-te-hache es mi nombre y hache-e-ene-erre-i-cu-u-e-zeta mi apellido.
   Secretaria: ¿Y de dónde es usted?
   Elizabeth: Soy venezolana.
   Secretaria: Bien, gracias, aquí tiene su tarjeta.
   Elizabeth: Gracias a usted.
4 Secretaria: Buenos días, señor.
   Manuel: Buenos días, me llamo Manuel Jiménez.
   Secretaria: ¿Jiménez con ge o con jota?
   Manuel: Con jota.
   Secretaria: Aquí está. ¿De dónde es usted?
   Manuel: Soy mexicano.
   Secretaria: Muy bien, aquí tiene su tarjeta.
   Manuel: Muchas gracias.

4

Me llamo Manolo García. Soy médico. Soy sevillano, pero vivo en Barcelona. Trabajo en un hospital. Mi mujer se llama Amelia, es profesora y trabaja en un instituto. Ella es catalana. Tenemos dos hijos, Sergio y Elena; los dos son estudiantes. Sergio estudia en la universidad, y Elena, en el instituto.

1

1 ¿De dónde eres?
2 ¿De dónde son ustedes?
3 ¿Cómo te llamas?
4 ¿Quién es este?
5 ¿Dónde vives?
6 ¿Dónde trabaja usted?
7 ¿Dónde viven ustedes?
8 ¿Cómo se llama el marido de Ana?

2

cero – uno – dos – tres – cuatro – cinco – seis – siete – ocho – nueve – diez

4

1 ■ María, ¿cuál es tu número de teléfono?
   ● El nueve-tres-seis cinco-cuatro-siete ocho-tres-dos.
   ■ ¿Puedes repetir?
   ● Nueve-tres-seis-cinco-cuatro-siete-ocho-tres-dos.
   ■ Gracias.
2 ■ Jorge, ¿me das tu teléfono?
   ● Sí, es el nueve-cuatro-cinco cuatro-cero-uno ocho-tres-dos.
   ■ Gracias.
3 ■ Marina, ¿cuál es tu número de teléfono?
   ● Mi móvil es el seis-ocho-seis cinco-dos seis-uno tres-seis.
   ■ ¿Y el de tu casa?
   ● Sí, es el nueve-uno cinco-tres-nueve ocho-dos seis-siete.
   ■ Vale, gracias.
4 ■ Información, dígame.
   ● ¿Puede decirme el teléfono del Aeropuerto de Barajas?
   ■ Sí, tome nota, es el nueve-cero-dos tres-cinco-tres cinco-siete-cero.
   ● ¿Puede repetir?
   ■ Sí, nueve-cero-dos tres-cinco-tres cinco-siete-cero.
   ● Gracias.
5 ■ Información, dígame.
   ● ¿Puede decirme el teléfono de la Cruz Roja?
   ■ Sí, tome nota, es el nueve-uno-cinco-tres-tres-seis-seis-seis-cinco.
   ● ¿Puede repetir?
   ■ Sí, nueve-uno-cinco-tres-tres-seis-seis-seis-cinco.
6 ■ Información, dígame.
   ● Buenos días, ¿puede decirme el teléfono de Radio-taxi?
   ■ Tome nota, por favor. El número solicitado es: nueve-uno-cuatro-cero-cinco-uno-dos-uno-tres. El número solicitado es: nueve-uno-cuatro-cero-cinco-uno-dos-uno-tres.

7

once – doce – trece – catorce – quince – dieciséis – diecisiete – dieciocho – diecinueve – veinte

9

quince – uno – cuatro – veinte – ocho – siete – tres – once – cinco – seis – catorce – nueve – dieciocho – diecinueve – dos – trece – dieciséis

10

En un gimnasio

Felipe: ¡Buenas tardes!

Rosa: ¡Hola!, ¿qué deseas?

Felipe: Quiero apuntarme al gimnasio.

Rosa: Tienes que darme tus datos. A ver, ¿cómo te llamas?

Felipe: Felipe Martínez.

Rosa: ¿Y de segundo apellido?

Felipe: Franco.

Rosa: ¿Dónde vives?

Felipe: En la calle Goya, número ochenta y siete, tercero izquierda.

Rosa: ¿Teléfono?

Felipe: Seis-ocho-seis cero-cinco-cinco cero-nueve-siete.

Rosa: ¿Profesión?

Felipe: Profesor.

Rosa: Bueno, ya está; el precio es...

4

- Hola, yo me llamo Francisco. Vivo en Getafe, un pueblo de Madrid. Estudio en la universidad de mi pueblo. Mi número de móvil es seis-cero-ocho dos-nueve-uno cero-siete-seis.

- Hola, me llamo Claudia y soy músico. Toco la guitarra. Soy argentina, pero vivo en Barcelona desde hace cinco años. Mi número de celular es seis-cero-nueve tres-cuatro dos-seis siete-uno.

- Yo soy Elizabeth. Soy de un pueblo, pero vivo en Caracas porque soy informática y trabajo en la universidad. Mi número de celular es seis-ocho-cero dos-tres-uno siete-seis-cinco.

- Yo soy Manuel, soy mexicano. Vivo en Málaga porque trabajo en una escuela de música, soy profesor de niños de ocho años. Mi celular es el seis-cero-seis dos-uno-cero tres-dos-nueve.

3

1 Martínez; 2 Romero; 3 Marín; 4 Serrano; 5 López; 6 Moreno; 7 Jiménez; 8 Pérez; 9 Díaz; 10 Martín; 11 Vargas; 12 García; 13 Díez

UNIDAD 2 - Familias

2

- Hola, soy Jorge. Estoy casado y esta es mi familia. Mi mujer se llama Rosa y tenemos dos hijos: Isabel, de doce años, y David, de diez. Vivimos en Fuenlabrada, cerca de Madrid. Soy profesor de autoescuela.

- Yo soy Luis. No tengo hermanos, no tengo novia, estoy soltero y vivo en Sevilla con mis padres y mi abuela. Mi padre se llama Manuel y tiene cincuenta y ocho años. Mi madre se llama Rocío y tiene cincuenta y seis años. Mi abuela tiene setenta y nueve años y se llama Carmen. Soy estudiante de Medicina.

2

1 las tres y media; 2 las dos menos cuarto; 3 las diez y cuarto; 4 la una; 5 las doce y cinco; 6 las ocho menos veinte; 7 las doce y diez; 8 las cinco y media; 9 la una menos cuarto

7

veintiuno – veintidós – veintitrés – veinticuatro – treinta – treinta y uno – cuarenta – cincuenta – cincuenta y dos – sesenta – setenta – ochenta – noventa – cien – ciento tres – ciento once – doscientos / doscientas – trescientos / trescientas – cuatrocientos / cuatrocientas – quinientos / quinientas – seiscientos / seiscientas – mil – dos mil – cinco mil

8

a dos; b veinticinco; c cincuenta; d treinta y siete; e trescientos veintitrés; f ciento treinta y cinco; g ochocientos cincuenta; h mil quinientos ochenta y nueve; i mil novecientos noventa y ocho; j mil novecientos ochenta y cinco

9

1 ■ Hola, Clara, ¿cuántos años tienes?
● Doce.

2 ■ ¿Cuánto son las naranjas?
● Uno con diez.

3 ■ ¿Cuánto es el paquete de café?
● Uno treinta.

4 ■ ¿En qué año nació usted?
● En mil novecientos cuarenta y siete.

5 ■ Por favor, ¿cuántos kilómetros hay entre Madrid y Barcelona?
● Seiscientos cincuenta.

6 ■ Por favor, ¿cuánto es el café y la cerveza?
● Tres euros.

7 ■ Perdone, ¿qué hora es?
● Son las nueve.

8 ■ ¿Cuántas páginas tiene el libro?
● Quinientas cuarenta páginas.

9 ■ ¿Cuántos días tiene el mes de marzo?
● Treinta y un días.

10 ■ ¿Dónde vives?
● En la calle Alcalá, número sesenta y seis.

1 y 2

teléfono – lápiz – ventana – hotel – profesor – hermano – familia – música

3

profesora – español – café – gramática – mesa – vivir – hablar – médico – autobús – Pilar – alemán – brasileña – familia – libro – examen

6

1 Dos de los actores españoles más famosos en el mundo son Penélope Cruz y su marido, Javier Bardem. Mónica, la hermana de Penélope, y Pilar y Carlos, la madre y el hermano de Javier, también son actores.

2 La familia Alcántara celebra la primera comunión de su hija María. Junto a la niña están sus padres, Antonio y Merche, sus hermanos, Carlitos y Toni, y su abuela, Herminia.

3 Mario Vargas Llosa, Premio Nobel de Literatura, y su mujer, Patricia, tienen dos hijos, Álvaro y Gonzalo, y una hija, Morgana. Mario y Patricia son primos.

5

Salidas:

- El tren Altaria exprés, situado en el andén número tres, con destino Zaragoza, efectuará su salida a las quince treinta y cinco.

- El tren Talgo, con destino Málaga, situado en el andén número seis, saldrá dentro de quince minutos, a las catorce treinta.

- El AVE, con destino Sevilla, sale a las diez en punto, del andén número dos.

Llegadas:

- El AVE, procedente de Sevilla, tiene su llegada a las veinte horas, en el andén número once.

- El Alaris, procedente de Valencia, efectuará su entrada por el andén número ocho, a las dieciséis cuarenta y cinco horas.

- El tren Talgo, procedente de Vigo, hará su entrada en el andén número cuatro, a las diecisiete horas.

UNIDAD 3 - El trabajo

4 (imagen 29)

■ Y tú, Juan, ¿a qué hora te levantas?

● Bueno, yo me levanto pronto, a las siete, más o menos, me ducho rápidamente y tomo un café.

■ ¿Y tu mujer, ¿a qué hora se levanta?

● Pues a las siete y media. Ella también se acuesta más tarde, sobre las doce de la noche.

■ ¿Y tus hijos?

● Ellos cenan, ven un poco la tele y se acuestan temprano, a las diez.

■ ¿Y a qué hora se levantan?

● A las ocho, porque entran al colegio a las nueve.

■ ¿Y los días de fiesta también os levantáis todos temprano?

● ¡Ah, no!, ni hablar, los domingos nos levantamos más tarde, a las diez, porque, claro, también nos acostamos más tarde.

2 (imagen 30)

- Lucía es técnico de sonido y trabaja en una emisora de radio, la Cadena Día. Tiene veintinueve años y no está casada. Vive en Valencia, y habla inglés y francés perfectamente. Todos los días trabaja de ocho a tres, menos los sábados y domingos. Los días laborables se levanta a las siete y sale de casa a las siete y media. Va al trabajo en autobús. Los sábados por la noche siempre sale con sus amigos a cenar y a bailar, por eso se acuesta muy tarde, a las tres o las cuatro de la madrugada.

Transcripciones

- Carlos es bombero. Trabaja en el ayuntamiento de Toledo. Vive en un pueblo cerca de Toledo y va al trabajo en tren. Tiene treinta y cuatro años, está casado y no tiene hijos. Trabaja en turnos de veinticuatro horas, un día sí y otro no. Si trabaja el sábado o el domingo, después tiene dos días libres. Siempre se levanta muy temprano, a las siete o las ocho de la mañana, por eso normalmente no sale por las noches. Cena a las diez, después ve la tele y a las once y media se acuesta.

3

1 ■ Philip, ¿qué se toma en Alemania para desayunar?
● Hay muchas cosas. Algunos toman pan con mantequilla y salami y un huevo. Otros toman muesli con yogur. Y té, mucha gente toma té. Algunos toman café, claro.
2 ■ Claudia, ¿qué se desayuna en Argentina?
● Bueno, generalmente tomamos tostadas con dulce de leche o medialunas. Y para beber, mate, té o café con leche.
3 ■ Elizabeth, ¿qué se desayuna en Venezuela?
● La gente toma café con leche y arepas rellenas de queso o carne mechada, o también empanadas de harina de maíz.
4 ■ Manuel, ¿qué desayuna la gente en México?
● En México desayunamos fuerte. El platillo central suele ser huevos con frijoles y tortillas, y para beber, jugo de frutas.

6

Camarera: Buenos días, ¿qué desean?
Madre: Yo quiero un desayuno andaluz, ¿y tú, hijo?
Hijo: Yo solo quiero un zumo.
Madre: Toma algo más: un bollo o una tostada.
Hijo: No, mamá, solo quiero un zumo de naranja.
Madre: Bueno, pues un andaluz y un zumo de naranja.
Camarera: Muy bien.

1

gato – agua – gota – guerra – guion

3

1 guapo; 2 cigarrillos; 3 guitarra; 4 gafas; 5 pagar; 6 guerra; 7 Guatemala; 8 goma

4

■ Adriana, tú eres argentina, ¿no?
● Sí, claro.
■ ¿Y de qué ciudad?
● De Buenos Aires.
■ Cuéntame un poco los horarios habituales... Por ejemplo, ¿a qué hora os levantáis?
● Nos levantamos muy temprano, a las cinco y media o las seis, porque el trabajo está lejos... y, bueno, normalmente empezamos a trabajar a las ocho.
■ ¿Y hasta qué hora trabajáis?
● Hasta las seis... sí, en las oficinas hasta las seis de la tarde. Paramos una hora para almorzar, entre las doce y las dos: comemos algo rápido y, ya, volvemos al trabajo.

■ ¿Y en las tiendas?
● Bueno, el horario de las tiendas es distinto: abren también sobre las ocho de la mañana y cierran a las ocho o las nueve de la noche, y no cierran al mediodía, ¿eh?, no es como en España. Ah, y los bancos también tienen otro horario: abren a las diez y cierran a las tres, y por la tarde ya no abren.
■ Y una cosa, Adriana: cuando la gente sale del trabajo, ¿va directamente a su casa?
● Sí, sí, eso es lo normal, vamos a casa. Tenemos otra hora más para volver, claro. Cenamos entre las ocho y las nueve y media; y no nos acostamos tarde, sobre las once más o menos.
■ Oye, ¿y los niños?, ¿qué horario tienen en el colegio?
● Estudian solo o por la mañana o por la tarde: creo que es de ocho a doce en el turno de la mañana y de una a cinco los que estudian por la tarde.

6

- Susana se levanta normalmente a las siete, se ducha, se viste, desayuna algo rápido y sale de casa a las ocho. Su trabajo empieza a las nueve. Primero va a la compra y después prepara la comida para unas treinta personas.
- Emilio se levanta tarde porque no trabaja por la mañana. Desayuna un café con leche y dos tostadas mientras lee el periódico. Come pronto porque sale de casa a las tres. Va a la universidad en tren. Sus clases empiezan a las cuatro y terminan a las ocho de la tarde.
- Jaime se levanta muy temprano porque prepara el desayuno de sus hijos y los lleva al colegio. Después va en coche a su trabajo, que está a las afueras de la ciudad. Trabaja en unos grandes almacenes atendiendo a los clientes. Su horario es de nueve de la mañana a cinco de la tarde. Cuando sale del trabajo, recoge a los niños y los lleva a casa.

UNIDAD 4 - La casa

2

Rosa y Miguel tienen una tienda de ropa en el centro de Madrid. Tienen dos hijos y viven fuera de la ciudad en un chalé adosado con dos plantas.
En la planta baja hay un recibidor, una cocina con un pequeño comedor, un salón grande y un aseo.
En la planta de arriba hay tres dormitorios y un cuarto de baño. La casa tiene también un jardín pequeño.

4

■ ¿Cuántas plantas tiene tu casa?
● Dos. Es un chalé adosado.
■ ¿Dónde está el cuarto de baño?
● En la planta de arriba. Y en la planta baja hay un pequeño aseo.
■ ¿Tiene comedor?
● Sí, uno pequeño, al lado de la cocina.
■ ¿Cuántos dormitorios tiene?
● Tres, están todos en la planta de arriba.
■ ¿Tenéis garaje?
● No, aparcamos en la calle.

5

■ Manu, ¿cómo es tu piso?
● Mi piso es muy pequeño, porque vivo solo. Tiene un dormitorio, un salón comedor pequeño, una cocina y un cuarto de baño, que está al lado del dormitorio.
■ ¿Nada más?
● Bueno, tengo una terraza grande y ahí tengo muchas plantas.

8

primero-primera / segundo-segunda / tercero-tercera / cuarto-cuarta / quinto-quinta / sexto-sexta / séptimo-séptima / octavo-octava / noveno-novena / décimo-décima

10

1 ■ ¿Sería tan amable de indicarme dónde vive el señor González?
● En el cuarto derecha.
■ Muchas gracias.
2 ■ ¿Me podría decir dónde vive doña Manuela Rodríguez?
● En el segundo izquierda.
■ Gracias.
3 ■ ¿En qué piso vive la señorita Herrero?
● En el tercero A.
4 ■ ¿Me podría enviar este paquete a mi domicilio, en la avenida del Mediterráneo, cinco, sexto B?
● Por supuesto, señor Acedo.
5 ■ ¿El señor de la Fuente, por favor?
● Es el inquilino del ático.
■ Muchas gracias.
6 ■ ¿Vive aquí la señorita Laura Barroso?
● Sí, es la hija de los vecinos del quinto E.

6

■ Inverpiso, ¿dígame?
● Buenos días. Llamo para informarme sobre los chalés anunciados en el periódico de ayer.
■ Con mucho gusto. Mire, el primero está en la calle Alonso Cano. Tiene ciento treinta y ocho metros cuadrados. Hay cuatro dormitorios en la planta de arriba y dos baños, calefacción individual y ascensor.
El segundo es una casa de tres plantas en Torrelodones. Tiene trescientos metros cuadrados, con jardín y piscina. Hay un salón comedor y un baño en la planta baja, y cinco dormitorios y otros dos cuartos de baño en la planta superior. El garaje es para dos coches.
El tercer chalé está en una urbanización en Pozuelo. Tiene trescientos metros cuadrados construidos en dos plantas. Tiene un amplio salón y cuatro dormitorios. Hay un cuarto de baño en cada planta. Los materiales son de primera calidad. Hay piscina comunitaria.

2

Recepcionista: Parador de Córdoba, ¿dígame?
Carlos: Buenas tardes. ¿Puede decirme si hay habitaciones libres para el próximo fin de semana?
Recepcionista: Sí. ¿Qué desea, una habitación individual o doble?

Carlos: Una doble, por favor. ¿Qué precio tiene?
Recepcionista: Cien euros por noche más IVA.
Carlos: De acuerdo. Hágame la reserva, por favor.
Recepcionista: ¿Cuántas noches?
Carlos: Viernes y sábado, si es posible.
Recepcionista: No hay problema.
Carlos: ¿Hay piscina?
Recepcionista: Sí, señor, hay una.
Carlos: ¿Admiten tarjetas de crédito?
Recepcionista: Sí, por supuesto.

4

Recepcionista: ¿Me dice su nombre y apellidos, por favor?
Carlos: Carlos López Ruiz.
Recepcionista: ¿Dirección?
Carlos: Calle de Velázquez, número sesenta y seis, en Madrid.
Recepcionista: ¿Número de teléfono, por favor?
Carlos: Nueve-uno cinco-seis-nueve ocho-ocho cuatro-tro-siete.
Recepcionista: Entonces, una habitación doble para las noches del viernes y sábado, ¿no es así?
Carlos: Sí, correcto, muchas gracias. Hasta el viernes.
Recepcionista: ¡Hasta el viernes! Buenas tardes.

5

Los patios

Los patios son lugares comunes para encontrarse, para jugar, para charlar, para descansar. Hay muchos tipos de patios: el patio del colegio, donde los niños pasan el recreo; el patio andaluz, en el sur de España, lleno de macetas con flores, que en verano protege del calor y es un lugar de descanso y de conversación.
En las ciudades tenemos el patio interior, donde la gente tiende la ropa y habla con los vecinos de enfrente.
En Hispanoamérica muchas casas coloniales conservan bellos patios llenos de plantas tropicales que ayudan a pasar las horas más calurosas del día.
En la ciudad andaluza de Córdoba, el segundo fin de semana de mayo se celebra el Festival de los Patios. Los vecinos abren sus casas, y vecinos y turistas pueden visitar sus hermosos patios.

1

queso – cuarto – cuanto – quinto – casa – comedor

7

Entrevistador: Patricia, ¿dónde pasas tus vacaciones?
Patricia: Tengo una casa en Valencia, en el mar Mediterráneo. Es un chalé de dos plantas, con un jardín muy bonito, y está cerca de la playa. Siempre paso unos días allí con mi familia y algunos amigos.
Entrevistador: ¿Con quién vas este año?
Patricia: Este año voy con mi marido, nuestro amigo Juan y su mujer. La casa no es muy grande. Tiene solo dos dormitorios, pero es muy cómoda, con dos cuartos de baño, una cocina pequeña y un salón precioso con vistas al mar. También tiene una terraza para tomar el sol.

Entrevistador: ¿Coméis en casa?
Patricia: No, normalmente comemos en algún restaurante cerca de la playa. Por la noche hacemos la cena en casa y cenamos en el jardín.
Entrevistador: Bueno, pues os deseamos unas buenas vacaciones.

UNIDAD 5 - Comer

2

Camarero: Buenos días, señores, ¿qué quieren comer?
Juan: De primer plato nos pone un gazpacho para mí y una ensalada para la señora.
Camarero: ¿Y de segundo?
Teresa: ¿La carne es de ternera?
Camarero: Sí, señora. Es muy buena.
Teresa: Entonces, me pone carne con tomate. ¿Y tú, Juan?
Juan: Yo prefiero unos huevos con chorizo.
Camarero: ¿Y para beber?
Juan: El vino de la casa y una botella de agua, por favor.
Camarero: Muy bien, muchas gracias.
(...)
Camarero: Y de postre, ¿qué desean?
Juan: Para mí, unas natillas.
Teresa: Pues, yo quiero arroz con leche.
Camarero: Enseguida se lo traigo, muchas gracias.

7

Hoy comemos fuera

En España, comer es algo que nos gusta compartir con amigos, familiares, compañeros de trabajo o estudio. Para la mayoría de los españoles es más importante la compañía que el tipo de restaurante. Al escoger un restaurante preocupa la higiene, la calidad de los alimentos y la dieta equilibrada. En un país como España, con un clima agradable, de largos días con luz, el comer o cenar fuera de casa es un hábito extendido.
Es durante los días festivos cuando más se visitan bares y restaurantes.

3

Mi marido y yo siempre tenemos problemas para decidir qué hacer durante el fin de semana. A mí me gusta ir al cine los viernes y, el sábado por la mañana, ir de compras. Por el contrario, a mi marido le gusta pasar el fin de semana en el campo: andar, hacer deporte... El domingo por la tarde, lo que más le gusta es ver un partido de fútbol por la tele, mientras yo navego por internet. Durante la semana lo tenemos más fácil: a los dos nos gusta leer y oír música en nuestro tiempo libre.

4

Queridos amigos y amigas, hoy vamos a hacer un delicioso refresco de plátano. Bueno, ¿estáis preparados? Aquí van los ingredientes: en primer lugar vamos a necesitar tres plátanos y un vaso de leche.

Como el refresco será solo para cuatro personas, vamos a utilizar únicamente un cuarto de taza de azúcar y un cuarto de taza de zumo de limón y, por último, media cucharadita de vainilla y ocho cubitos de hielo. Y ahora, para su elaboración, sigue las siguientes instrucciones:
- Primero, pela los plátanos y córtalos en rodajas.
- A continuación, mezcla los plátanos, la leche, el azúcar, el zumo de limón y la vainilla en una batidora.
- Añade los cubitos de hielo y mézclalos con los otros ingredientes.
- Reparte la mezcla en cuatro vasos.
- Finalmente, invita a tus amigos.

9

¿Productos de América?

Bienvenidos a nuestro programa. Hoy hablamos del origen de algunos productos. Atención a las siguientes informaciones:
1 Casi todas las piñas de los supermercados son de Hawái, pero los cultivadores originales son los indios de Cuba y Puerto Rico.
2 Es cierto que hay una variedad de cacahuete (también llamado en América "maní") que procede de Georgia, pero sus cultivadores originales son los indios de Bolivia y Perú.
3 Los italianos preparan una deliciosa salsa de tomate, pero los cultivadores originarios del tomate son los indios de México.
4 Ecuador es el mayor productor de plátanos del mundo, pero los plátanos son de origen africano.
5 Brasil es el mayor productor de café del mundo, pero el café también es de origen africano.
6 Las patatas son muy populares en Irlanda, pero proceden originalmente de Perú y Ecuador.

1

Isabel – vivir – vino – bueno – Ávila – viajar – botella – abuelo – hablar – muy bien – beber

2

1 ¿Dónde vive Isabel?
2 Cuba es una isla preciosa.
3 Vicente es abogado y trabaja en Sevilla.
4 Las bebidas están en la nevera.
5 Este vino es muy bueno.
6 Valeriano viaja mucho en avión.
7 Beatriz es de Venezuela.
8 Esta bicicleta es muy barata.
9 En Valencia no hay bastantes ambulancias.
10 La abuela de Bibiana está muy bien.

4

1 Yo vivo en Barcelona.
2 Este batido tiene vainilla.
3 Camarero, un vaso de agua, por favor.
4 A Isabel le gusta viajar y bailar tangos.
5 Beber agua es muy bueno.
6 ¿Este verano vas de vacaciones?
7 La botella está vacía.
8 El banco abre a las nueve.

Transcripciones

5

1 bala; **2** poca; **3** barra; **4** beso; **5** vino; **6** pera; **7** vaca; **8** pisa; **9** pata; **10** pez

2

Buenos días, hoy hablamos de comida, española y también de otros países hispanos. Hay platos españoles e hispanoamericanos conocidos en todo el mundo. De México, el guacamole, que se hace con aguacate; de Perú es muy famoso el cebiche, pescado con limón, un plato que también se come en Ecuador y en otros países sudamericanos; las exquisitas arepas de Colombia y Venezuela, que se comen con jamón, con queso y otros muchos ingredientes; y como no, la famosa carne asada típica de Argentina, una de las mejores carnes del mundo. En España hay un pescado y un marisco excelente en todo el país, pero especialmente en la zona de Galicia. También en el norte, en Asturias, el plato más popular es la fabada. En Andalucía, donde en los meses de verano las temperaturas son extremadamente altas, tienen una sopa fría, a base de verduras, llamada gazpacho. Por último no podemos olvidar uno de los platos más internacionales, la paella, típico de la costa mediterránea, y, en especial, de Valencia.

UNIDAD 6 - El barrio

3

Sergio: Perdone, queremos dos billetes de metro, por favor.

Taquillero: ¿Sencillos o de diez viajes?

Sergio: Sencillos. ¿Cuánto es?

Taquillero: Diez euros.

Sergio: Aquí tiene. Perdone, ¿puede decirme cómo se va de Aeropuerto a Goya?

Taquillero: Pues desde aquí es muy fácil: tome usted la línea ocho hasta Mar de Cristal y cambie a la línea cuatro dirección Argüelles. La décima estación es Goya.

Sergio: Muchas gracias. ¿Puede darme un plano del metro?

Taquillero: Sí, claro, tome.

1

1 ■ Carlos, siéntate en tu sitio, por favor.
  ● Voy.
2 ■ Venga a mi oficina, quiero hablar con usted.
  ● Ahora mismo.
3 ■ Pon la televisión, empieza el partido de fútbol.
  ● Vale.
4 ■ Cierra la ventana, por favor, tengo frío.
  ● Sí, claro.
5 ■ Tome la primera a la derecha y después siga recto.
  ● Muchas gracias.
6 ■ Tuerce a la derecha, esa es la calle.
  ● Ah, sí, tienes razón.
7 ■ Haz los deberes antes de cenar.
  ● Vale, mamá.

8 ■ Por favor, siéntese. Ahora le atiende el doctor.
  ● Bien, gracias.
9 ■ ¿Dígame?
  ● ¿Está el señor López?
10 ■ Alejandro, contesta al teléfono, por favor.
  ● Vale.

4

Jefe: Señor Hernández, ¿puede venir a mi oficina, por favor?

Sr. Hernández: Sí, claro.

(...)

Sr. Hernández: ¿Se puede?

Jefe: Sí, sí, pase y cierre la puerta, por favor... Siéntese. Tengo una reunión en el banco el próximo lunes y necesito la información de su departamento.

Sr. Hernández: No hay problema, está todo preparado.

Jefe: Bien, haga el informe antes del lunes y ponga todos los datos de este año.

1

rey – arroz – perro – reloj – rojo – arriba – caro – pero – diario – soltera – para

2

1 Roma; **2** Inglaterra; **3** Perú; **4** cartero; **5** compañero; **6** rosa; **7** pizarra; **8** terraza; **9** armario; **10** ruido

3

Pilar: ¿Sí?

Andrés: ¡Hola, Pilar! Soy Andrés.

Pilar: ¡Hola, Andrés! ¡Cuánto tiempo sin hablar contigo!

Andrés: ¿Qué tal te va por Palma de Mallorca?

Pilar: ¡Estoy muy contenta! Es una ciudad muy tranquila.

Andrés: ¿No te aburres en una ciudad tan pequeña?

Pilar: No, hay muchas cosas interesantes para conocer y, además, está el mar. Y me encantan sus calles antiguas y su catedral.

Andrés: ¿Cómo te mueves por la ciudad?

Pilar: Vamos de un lado a otro en autobús o en bicicleta, porque normalmente hace muy buen tiempo.

Andrés: ¿Conoces a mucha gente ya? ¿Tienes amigos?

Pilar: Comparto piso con dos compañeras de clase y tenemos un grupo de amigos de la universidad.

Andrés: ¿Y qué haces los fines de semana?

Pilar: Depende... Algunos sábados quedamos para hacer deporte, otros días conocemos pueblos y playas de la isla... Es todo muy bonito. Bueno, ¿y cuándo vienes a Palma para pasar unos días en mi casa?

Andrés: Ahora tengo mucho trabajo en la oficina, pero el mes próximo puedo pedir unos días y coger un avión para estar contigo y conocer tu nueva casa. ¿Qué te parece?

Pilar: ¡Fantástico! ¡Nos vemos el mes que viene!

UNIDAD 7 - Salir con los amigos

2

Madre: ¿Sí, dígame?

Pedro: ¿Está Antonio?

Madre: Sí, ¿de parte de quién?

Pedro: Soy Pedro.

Madre: Enseguida se pone.

(...)

Antonio: ¿Pedro?

Pedro: ¡Hola, Antonio! ¿Qué haces?

Antonio: Nada, estoy viendo la tele.

Pedro: ¿Vamos al cine esta tarde?

Antonio: Venga, vale, ¿y qué ponen?

Pedro: Podemos ver la última película de Almodóvar, ¿no?

Antonio: ¡Estupendo! ¿Cómo quedamos?

Pedro: ¿A las siete en la puerta del metro?

Antonio: No, mejor a las ocho. ¿De acuerdo?

Pedro: Vale. ¡Hasta luego!

5

Alicia: ¿Sí?

Begoña: ¿Está Alicia?

Alicia: Sí, soy yo.

Begoña: ¡Hola! Soy Begoña.

Alicia: ¡Hola! ¿Qué hay?

Begoña: Voy a salir de compras esta tarde. ¿Vienes conmigo?

Alicia: Lo siento, hoy no puedo, tengo mucho trabajo. Mejor mañana.

Begoña: Bueno, vale. ¿A qué hora? ¿Te parece bien a las seis?

Alicia: Sí, de acuerdo.

Begoña: Hasta mañana.

Ángel: ¿Diga?

Rosa: Hola, Ángel, soy Rosa.

Ángel: ¿Qué tal?

Rosa: Muy bien. Te llamo porque Luis y yo vamos a ir el sábado a Segovia, ¿por qué no te vienes?

Ángel: ¿El sábado? No puedo, lo siento, es el cumpleaños de mi madre y voy a comer a su casa. Pero podemos quedar después, ¿Por qué no venís a casa a cenar?

Rosa: ¿A cenar el sábado? Vale, se lo digo a Luis y si podemos, luego te llamo. ¿Te parece bien?

Ángel: Estupendo. Espero tu llamada.

Rosa: Hasta luego.

Ángel: Hasta luego.

9

■ Inmobiliaria Miramar. Buenos días.
● Buenos días. ¿Puedo hablar con el señor Álvarez?
■ No está en este momento. ¿Quiere dejarle un recado?
● Sí, por favor, dígale que la señora García va mañana a las once y media para hablar con él.
■ Muy bien, le dejo una nota.
● Muchas gracias. Adiós.
■ Adiós.

4

1 ■ Rosa, ¿qué estás haciendo?
● ¿Ahora mismo? Estoy peinándome porque voy a salir.
2 ■ ¡Luis, al teléfono!
● ¡No puedo, estoy duchándome!
3 ■ Niños, ¿qué hacéis?
● ¡Nada, mamá, nos estamos lavando las manos!
4 ■ ¡Qué ruido hacen los vecinos!
● Sí, están levantándose ahora porque salen de viaje.
5 ■ ¡Hola! ¿Está Roberto?
● Sí, pero está afeitándose, llama más tarde.
6 ■ ¿Y Clara? ¿Dónde está?
● En el baño, está duchándose.
7 ■ Joana, ¿qué haces?
● Me estoy pintando para salir.
8 Pero hija, ¿todavía te estás vistiendo? Vas a llegar tarde al colegio.
9 ■ ¿Está libre el baño?
● No, Jordi se está bañando.
10 ■ ¿Qué haces, Laura?
● Me estoy pintando para salir, enseguida acabo.

1

¡Vale! – ¡Hasta luego! – ¡Qué bien! – ¡Qué va! – ¡Qué bonito! – ¡Es horrible! – ¡Estupendo!

2

1 Claudia Schiffer es bastante fea, ¿verdad?
2 ¿Vamos al cine?
3 Mira qué bolso me he comprado.
4 Tengo un piso nuevo.
5 Bueno, me voy, ¡hasta luego!
6 Hay paella para comer.
7 Mira la tele, cuántas noticias malas.

3

1 ■ Claudia Schiffer es bastante fea, ¿verdad?
● ¡Qué va!
2 ■ ¿Vamos al cine?
● Vale.
3 ■ Mira qué bolso me he comprado.
● ¡Qué bonito!
4 ■ Tengo un piso nuevo.
● ¡Qué bien!
5 ■ Bueno, me voy, ¡hasta luego!
● ¡Hasta luego!
6 ■ Hay paella para comer.
● ¡Estupendo!
7 ■ Mira la tele, cuántas noticias malas.
● ¡Es horrible!

2

1 Tiene el pelo largo y rubio. Tiene los ojos verdes. ¡No tiene bigote!
2 Tiene los ojos oscuros. Tiene el pelo corto y la barba negra.

3

1 Es moreno y tiene los ojos oscuros. Es alto y lleva bigote. Tiene el pelo corto y liso.
2 Es delgada y baja. Tiene el pelo largo y rubio y los ojos azules. No lleva gafas.
3 Es alta y delgada. Tiene el pelo moreno, corto y liso y los ojos oscuros.
4 Es bajo y gordo. Tiene los ojos claros y es calvo. Es mayor y lleva bigote y barba. Sí lleva gafas.

12

Guantanamera, guajira guantanamera
Guantanamera, guajira guantanamera
Yo soy un hombre sincero, de donde crece la palma
Yo soy un hombre sincero, de donde crece la palma
Y antes de morirme quiero, echar mis versos del alma
Guantanamera, guajira guantanamera
Guantanamera, guajira guantanamera
Mi verso es de un verde claro, y de un jazmín encendido
Mi verso es de un verde claro, y de un jazmín encendido
Mi verso es un ciervo herido,
que busca en el monte amparo
Guantanamera, guajira guantanamera
Guantanamera, guajira guantanamera
Guantanamera, guajira guantanamera
Guantanamera, guajira guantanamera
Por los pobres de la tierra, quiero yo mi suerte echar
Por los pobres de la tierra, quiero yo mi suerte echar
El arrullo de la tierra, me complace más que el mar
Guantanamera, guajira guantanamera
Guantanamera, guajira guantanamera
Guantanamera, guajira guantanamera
Guantanamera, guajira guantanamera
Guantanamera, guajira guantanamera

3

■ Estamos en la Gran Vía de Madrid y vamos a entrevistar a algunas personas para saber qué hacen los fines de semana. ¡Hola! Buenas tardes, ¿eres de Madrid?
● Sí, claro.
■ ¿Puedes contarnos qué haces normalmente los fines de semana?
● Pues los viernes salgo con mis amigas. Normalmente comemos unas tapas en algún bar o alguna terraza y luego vamos a la discoteca.
■ ¿Y los sábados?
● Pues los sábados, a veces voy al cine por la tarde con mis amigas.
■ ¿Y por la noche también sales con tus amigas?
● Sí, comemos unas tapas y luego vamos a la discoteca...
■ ¿Otra vez?
● Sí, nos gusta mucho bailar. Normalmente me acuesto muy tarde y el domingo duermo casi todo el día.
■ Muchas gracias.

■ ¡Hola! Buenas tardes, ¿es de Madrid?
● Sí, claro.
■ ¿Puede contarnos qué hace normalmente los fines de semana?

● Pues los viernes por la noche siempre voy al cine con mi novia. Los sábados juego al fútbol por la mañana y por la noche, normalmente, vamos al teatro o a un concierto.
■ ¿Y los domingos?
● Pues normalmente vamos al Rastro por la mañana, después tomamos un aperitivo y luego nos vamos a algún restaurante a comer... A mi novia también le gusta ir a los museos de Madrid y muchos domingos vamos a ver exposiciones: al Museo del Prado, al Museo Reina Sofía...

UNIDAD 8 - De vacaciones

3

Luis: Buenos días, perdone, ¿puede decirme cómo se va a la plaza de Armas?
Recepcionista: Sí, ¡cómo no! Es muy sencillo. Al salir del hotel gire a la derecha y siga todo recto hasta el final de la calle. Entonces gire a la izquierda. Siga recto y tome la tercera calle a la derecha, la avenida del Sol, y al final de la avenida, a la derecha, se encuentra la plaza de Armas.
Luis: Entonces, salgo a la derecha, giro a la izquierda y en la avenida del Sol giro a la derecha. La plaza está al final de la calle, a la derecha, ¿no es así?
Recepcionista: Así es, señor. En quince minutos puede estar allí.
Luis: Muchas gracias. ¡Hasta luego!

5

1 Desde el hotel
■ Perdone, ¿puede decirme dónde está la farmacia más cercana?
● Tome la calle Santo Domingo, gire la primera a la derecha y, después, la primera a la izquierda.
2 Desde la iglesia de San Francisco
■ Por favor, ¿puede decirme cómo se va a la iglesia de Santa Teresa?
● Gire a la izquierda, después tome la segunda calle a la derecha, la calle Nueva Alta, y al final de la calle, a la izquierda, está la iglesia de Santa Teresa.

6

Ayer, como todos los días, me levanté a las siete de la mañana y me preparé para ir a trabajar. Al llegar al hospital, como todos los días, atendí a los enfermos de la consulta y visité a los pacientes de las habitaciones. A las cinco de la tarde, como todos los días, acabé de trabajar y pasé por el supermercado a comprar algo para la cena. A las seis de la tarde llegué por fin a casa, muy cansada, como todos los días. Pero ayer fue diferente: mi marido me invitó a un concierto y después cenamos en mi restaurante favorito.

8

Soledad: ¡Oh, qué semana tan terrible! Por fin de vuelta a casa.
Federico: ¿Dónde estuviste?

Soledad: El lunes fui a Caracas para visitar a un cliente, y el martes volamos, mi jefe y yo, a Madrid, para firmar un contrato. Estuvimos dos días de conversaciones y, al fin, lo logramos. El jueves nos fuimos a Río de Janeiro para cerrar unos asuntos pendientes y hoy por fin vuelvo a casa. Y a ti, ¿cómo te fue?

Federico: Hasta el martes estuve acá, en Buenos Aires, preparando cosas para irme al día siguiente a Lima, donde estuve trabajando dos días y aproveché para conocer esa linda ciudad. Hoy fui al aeropuerto a primera hora y terminé mi semana de trabajo. ¿Qué te parece si cenamos juntos?

Soledad: Me parece muy buena idea.

1

1 Llevó gafas.
2 Comió mucho.
3 ¿Abro la puerta?
4 ¿Hablo más alto?
5 Entro a las ocho.
6 Trabajo por la mañana.
7 Estudió Geografía.

6

En Toledo, durante los meses de invierno (diciembre, enero y febrero) hace mucho frío y algunas veces nieva. Durante la primavera (marzo, abril y mayo), suben las temperaturas y empieza a hacer buen tiempo. En verano (junio, julio y agosto), hace mucho calor: todos los días hace mucho sol y las temperaturas son muy altas. En otoño (septiembre, octubre y noviembre), los días son más cortos, el cielo está nublado y a veces llueve y hace viento.

8

Estas son las condiciones meteorológicas para el día de hoy en algunas zonas de Sudamérica. Tenemos tiempo inestable en Brasil, con fuertes lluvias y bajas temperaturas, sobre todo en el interior, donde tenemos ocho grados centígrados en estos momentos. En la zona del Caribe, por el contrario, hace muy buen tiempo, con mucho sol y una temperatura de veintidós grados centígrados. Tiempo inestable en la República de México, con fuerte viento y cielo nublado. La temperatura en la capital es de quince grados centígrados. Próximo parte meteorológico en una hora.

2

Hay tantas cosas que ver en España que es difícil seleccionar las más interesantes. Si empezamos por el noroeste, podemos visitar Galicia y allí pararnos a ver Santiago de Compostela y su catedral. Siguiendo por la costa cantábrica, el viajero descubre paisajes inolvidables de praderas suaves y pequeñas playas entre acantilados. Desde el País Vasco nos dirigimos a Cataluña, que mira al Mediterráneo. La ciudad catalana más importante es Barcelona, puerto de mar y punto de partida y llegada de barcos de todo el mundo. Podemos seguir nuestro viaje por la costa mediterránea para disfrutar de las ciudades y playas que llegan hasta Almería y Málaga, en Andalucía. También la comunidad andaluza merece una atención especial por los restos de cultura árabe que se pueden ver en Córdoba, Sevilla y Granada, especialmente. Desde Córdoba podemos ir a Madrid, atravesando la Mancha, la tierra de Don Quijote, el héroe de Cervantes. Aquí acaba nuestro viaje por esta vez, pero aún nos quedan por ver muchos otros paisajes y ciudades.

8

Hoy estamos en Barcelona, junto al mar Mediterráneo. Es la segunda ciudad más poblada de España. Barcelona fue la sede de la Exposición Universal de 1929 y de los Juegos Olímpicos de 1992. Muchos personajes importantes nacieron en esta ciudad:
- Montserrat Caballé, una de las grandes cantantes de la ópera, nació en Barcelona en 1933. En 1987 conoció al líder del grupo de rock Queen, Freddie Mercury. Con él grabó la canción «Barcelona», el himno oficial de las Olimpiadas de 1992.
- Joan Miró, pintor y escultor catalán mundialmente conocido, nació en Barcelona a finales del siglo XIX. En el Museo Joan Miró de Barcelona están las mejores obras de este artista. Murió en Palma de Mallorca en 1983.
- Joan Manuel Serrat, músico y poeta español, nació en Barcelona en 1943. Es un artista muy querido y admirado en toda España e Hispanoamérica. Entre sus canciones podemos encontrar poemas de grandes poetas como Machado, Lorca, Miguel Hernández o Pablo Neruda.
- Arancha Sánchez Vicario, tenista profesional, nació en Barcelona en 1971. Se convirtió en la número uno del mundo, después de ganar el torneo de tenis de Roland Garros por segunda vez.

5

Sara: El pasado mes de mayo, después de un año de mucho trabajo, tuve quince días de vacaciones. Fui en tren a Galicia y me alojé en un hotel maravilloso. Pasé unos días estupendos yo sola, sin salir prácticamente de la playa.

Lucía: Mi sitio favorito para pasar las vacaciones es la Isla de Capri. Hace veinte años que fui por primera vez. Este verano llegué a la isla en barco, como siempre, para pasar mi mes de vacaciones con un grupo de amigos. Capri no es la misma de hace veinte años, pero sigue siendo única.

Carlos: Tengo muy buen recuerdo de las últimas vacaciones que pasé con mi familia en Atacama, al norte de Chile; está a unos cuatro mil metros de altura. Alquilamos un coche para recorrer toda la zona, uno de los desiertos más secos del mundo, con unas salinas impresionantes. Fueron unas vacaciones memorables.

UNIDAD 9 - Compras

3

Celia: Mira estos zapatos, Álvaro, son preciosos.
Álvaro: No están mal, pero a mí me gustan más aquellos marrones.
Celia: Oiga, ¿cuánto cuestan estos zapatos negros?
Dependiente: Noventa euros.
Celia: ¿Y aquellos marrones?
Dependiente: Ciento quince euros.
Celia: ¿Ciento quince euros? Gracias, tengo que pensarlo.

Álvaro: Celia, ¿qué te parece esta camisa para mí?
Celia: Bien, ¿cuánto cuesta?
Álvaro: Solo sesenta euros. Voy a probármela.
Celia: Vale.
(...)
Celia: A ver... pues no te queda bien, ¿eh?
Álvaro: No, no, a mí tampoco me gusta.
Celia: Toma, pruébate esta chaqueta, es muy bonita.
Álvaro: A ver... Pues sí, parece que me queda bien, ¿no?
Celia: Muy bien, es tu talla.
Álvaro: ¿Cuánto cuesta?
Celia: Ciento veinte euros, es un poco cara.
Álvaro: Bueno, pero me gusta mucho, me la llevo.

Celia: Mira, ¿qué te parece este gorro? ¿Cómo me queda?
Álvaro: Bien, muy bien.
Celia: Pues me lo llevo, solo cuesta cinco euros.
(...)
Dependiente: Una chaqueta y un gorro de lana... Muy bien, son ciento veinticinco euros. ¿Pagan en efectivo o con tarjeta?
Álvaro: En efectivo.

3

- Mi amiga Bárbara es estudiante y le gusta mucho la ropa informal. Hoy lleva unos pantalones verdes, una camiseta roja y un collar a juego con los pendientes.
- Javier es el novio de Bárbara y también es estudiante. Hoy lleva unos pantalones vaqueros, una camisa de lunares y unas zapatillas marrones.
- Ignacio es informático, trabaja en una gran empresa de informática. Le gusta vestir bien. Para la reunión de hoy se ha puesto una camisa azul, muy elegante, y una corbata blanca. También lleva un traje oscuro.
- Marta trabaja de diseñadora en unos grandes almacenes y casi siempre lleva ropa elegante. Hoy lleva un vestido verde y unos zapatos blancos.
- Charlie es el primo de Bárbara y es fotógrafo. Hoy lleva unos pantalones rojos, una camisa blanca y unas playeras amarillas.

1

jamón – jugar – rojo – julio – joven – gimnasia – jefe
jirafa – geranio – genio – gato – goma – agua – guerra
guitarra – guapo – águila – Guadalajara – gota

2

gusto – hago – jabón – pagar – hijo

5

Luis: Voy a preparar mi maleta para el viaje, a ver... ¿qué llevo? Mira, estos zapatos están bien, ¿no?

Carla: No, para ir a la montaña, las botas son mejores que los zapatos.

Luis: Tienes razón. ¿Llevo los vaqueros?

Carla: No, para el frío son mejores los pantalones de pana.

Luis: Bueno, llevo los dos y ya está.

Carla: ¿Por qué llevas la maleta azul?

Luis: Pues porque es mejor que la gris, tiene ruedas.

Carla: Yo prefiero la gris, caben más cosas. Toma el paraguas, guárdalo.

Luis: ¿El rojo? No, este es peor que el negro.

Carla: Lo siento, el negro ya está en mi maleta.

1

María: A mí me encanta la ciudad en la que vivo. Es grande, tiene más de tres millones de habitantes y mucha oferta cultural y de ocio. Puedes ir al cine, al teatro, hay varias salas de conciertos, museos y también grandes parques donde relajarte o practicar deportes. Es verdad que es una ciudad ruidosa porque hay mucho tráfico. Otro problema es la contaminación, porque la gente utiliza poco el transporte público (el metro, el autobús...), pero a mí me encanta mi ciudad.

Jordi: Yo vivo en una ciudad pequeña, no llega al medio millón de habitantes y la verdad es que me gusta mucho vivir aquí. No hay una gran oferta cultural, pero tenemos mucha más tranquilidad que en una ciudad grande. Nuestros hijos viven más en contacto con la naturaleza porque hay muchos parques y tenemos la playa muy cerca. Seguro que en el futuro, si nuestros hijos van a la universidad, cambiaremos de ciudad, pero de momento no, este es el mejor lugar para vivir.

UNIDAD 10 - Salud y enfermedad

2

rodilla – pierna – pecho – hombro – brazo – mano – cuello – dedo – cara – oreja – espalda – pie

3

1 A Pedro le duele la cabeza.
2 A Daniel le duelen las muelas.
3 A Carmen le duelen los oídos.
4 A Julia le duele la espalda.
5 A Victoria le duele el estómago.
6 Ana tiene fiebre.
7 A Ricardo le duele la garganta.

4

A Sara: ¡Hola, Ángel!, ¿qué tal estás?
Ángel: No muy bien.
Sara: ¿Qué te pasa?
Ángel: Tengo una gripe muy fuerte.

Sara: ¿Y qué tomas cuando estás así?
Ángel: De momento, nada.
Sara: ¿Por qué no te tomas una aspirina con un vaso de leche con miel y te vas a la cama?
Ángel: Sí, creo que es lo mejor.

B Raúl: ¡Qué mala cara tienes! ¿Qué te pasa?
Luisa: Me duele muchísimo el estómago.
Raúl: ¿Por qué no vas al médico?
Luisa: Sí, voy a ir mañana.
Raúl: Mira, tómate un té y acuéstate sin cenar.
Luisa: Sí, creo que es lo mejor.

8

Paciente 1
■ Buenos días, ¿qué le ocurre?
● No me siento muy bien. Creo que tengo la gripe.
■ Tome una aspirina cada ocho horas y beba mucho zumo de naranja.

Paciente 2
■ Buenas tardes, ¿qué problema tiene?
● Me duele la garganta cuando hablo.
■ A ver... No está muy mal, pero tome leche con miel y no hable mucho.

Paciente 3
■ Buenos días, ¿qué le pasa?
● Mire, doctor, me duele mucho el estómago desde hace días.
■ Vaya, pues no tome café, ni fume. Coma frutas y ensaladas. Y tome estas pastillas.

2

Elena y Emilio ya son padres. Su vida cambió cuando, de repente, se encontraron con... dos bebés en los brazos.

Elena: Antes de ser padres teníamos una vida social muy activa: viajábamos, íbamos al cine, salíamos con los amigos, teníamos mucho tiempo libre. Emilio jugaba al *hockey*, yo estudiaba alemán...

Emilio: Ahora todo es distinto. Dedicamos todo nuestro tiempo a Álvaro y Adrián, que son maravillosos.

8

Martina tiene noventa y dos años. Cuando era pequeña no iba a la escuela. Vivía con su madre y sus cuatro hermanos en un pueblo pequeño del sur de España. A los ocho años, ya trabajaba en el campo con su familia: empezaba a las seis de la mañana y acababa a las seis de la tarde. No sabía leer, ni escribir, pero tenía muchas ilusiones y planes para el futuro. A los diecinueve años se casó y tuvo su primer hijo. Los fines de semana iba con su marido a vender las verduras de su huerta en los mercadillos de los pueblos vecinos. Solo los domingos por la tarde descansaban y se reunían con sus vecinos en la plaza del pueblo.

1

alemán – café – teléfono – cantante – árbol – canción – examen – estudiar – ordenador – ventana – periódico – móvil – pintura – música

2

1 Andrés me llamó por teléfono para saludarme.
2 Bárbara trabaja en una empresa de informática en México.
3 Yo estudié decoración en Milán.
4 Antes Raúl vivía cerca de aquí, pero ahora está viviendo en Valencia.
5 Aquí hace más calor que allí.
6 Ella es más guapa que él.
7 Los teléfonos móviles son muy cómodos.
8 Esta casa es más céntrica que tu piso.

5

■ Hoy vamos a hablar con la alpinista Elisa Urrutia. Está en España después de escalar el monte Everest. Elisa, ¿qué planes tienes para la próxima temporada?

● No voy a hacer ninguna escalada el año próximo. La temporada pasada acabé agotada y tengo que darme un poco de descanso. El próximo curso voy a hacer una campaña escolar en el País Vasco. Quiero ir por los colegios y hablar con los chicos y chicas sobre este deporte.

■ ¿Cuánto tiempo vas a dedicar a esta actividad?

● Voy a dedicarme unos tres meses. Después quiero montar un centro de alpinismo y organizar excursiones por la montaña.

■ ¿Y vas a ser una de las instructoras?

● Bueno, ese es mi objetivo. También quiero estar un poco más en casa. El año pasado me casé y creo que es el momento de pensar en organizar mi familia. Ahora estoy esperando mi primer hijo. Va a nacer el próximo otoño y estoy muy ilusionada.

■ ¡Enhorabuena, Elisa! ¡Te deseamos mucho éxito para todos tus planes!

5

Mánager: Este disco suena muy bien, es mejor que el otro.

Escorpión 1: Sí, estoy de acuerdo.

Mánager: Va a estar en las tiendas en la próxima semana y creo, amigos míos, que va a tener gran futuro.

Escorpión 2: ¿Y cuándo nos vamos de gira?

Mánager: En diciembre vamos a dar unos conciertos por toda España y, si todo va bien, nos vamos a Sudamérica.

Escorpión 3: ¿Y vamos a salir en televisión?

Mánager: Claro, y también tengo preparada nuestra propia página web.

Escorpión 1: ¿Cuándo vamos a ir a Barcelona?

Mánager: En septiembre, antes de empezar la gira. ¿A que no sabéis quién va a cantar con vosotros?

Escorpión 2: Ni idea.

Mánager: Jennifer Lopez.

Escorpión 3: ¡Vaya sorpresa!

Glossary

This glossary contains the items of vocabulary used in *Nuevo Epañol en marcha 1*, Student's Book, together with their English translations in the context in which they are used here. Bear in mind the endings: *acogedor/a* means that the feminine ending a is added onto the masculine form while *abandonado/-a* means that the feminine ending replaces the masculine one. The masculine and feminine articles of nouns are given in brackets: (el), (la). The numbers in brackets indicate the first unit where the word or phrase appears; the part after the numbers shows the section of the unit –A, B, C, D or Autoevaluación (Self-assessment)– or the Anexo. Verbs, once students are familiar with the forms, are shown in the infinitive.

A

abierto/-a   (6 A)   *open*
abogado/-a (el, la)   (1 B)   *lawyer*
abono (el)   (6 A)   *season ticket*
abrazo (el)   (10 C)   *hug, embrace*
abrigo (el)   (8 Auto)   *coat*
abril   (8 C)   *April*
abrir   (2 C)   *to open*
abrupto/-a   (10 D)   *steep*
abuelo/-a (el, la)   (0 B)   *grandfather/grand-mother*
aburrido/-a   (7 C)   *boring*
aburrirse   (6 D)   *to get bored*
acabar   (8 B)   *to finish*
acantilado (el)   (8 D)   *cliff*
acción (la)   (3 Anex)   *action*
acción en desarrollo (la)   (7 Auto)   *action taking place*
aceite (el)   (3 C)   *oil*
aceituna (la)   (3 C)   *olive*
acento (el)   (10 C)   *accent*
ácido/-a   (0 B)   *acid, tart*
acogedor/a   (6 D)   *cosy*
acompañado/-a de   (3 D)   *with*
aconsejar   (10 A)   *to advise*
acontecimiento (el)   (10 D)   *event, occurrence*
actividad (la)   (5 Anex)   *activity*
activo/-a   (10 B)   *active*
actor/actriz (el, la)   (1 B)   *actor/actress*
actual   (1 C)   *present, current*
actualmente   (9 D)   *nowadays*
acueducto (el)   (8 Auto)   *aqueduct*

(de) acuerdo   (4 C)   *all right, OK*
acumulación (la)   (4 D)   *accumulation*
además   (2 D)   *also*
adiós   (1 D)   *goodbye*
adjetivo (el)   (9 Auto)   *adjective*
administración (la)   (1 A)   *administration*
admirado/-a   (8 D)   *admired*
admitir   (4 C)   *to admit*
adorar   (10 D)   *to adore*
adosado/-a (adosar)   (4 A)   *terraced*
aerolínea (la)   (3 D)   *airline*
aeropuerto (el)   (6 A)   *airport*
afición (la)   (5 B)   *hobby, interest*
aficionado/-a (el, la)   (10 Auto)   *enthusiast*
afirmación (la)   (10 D)   *statement*
africano/-a (el, la)   (5 C)   *African*
afueras (las)   (3 D)   *outskirts, suburbs*
agencia de viajes (la)   (1 B)   *travel agency*
agenda (la)   (2 D)   *diary*
agosto   (0 B)   *August*
agradable   (5 A)   *pleasant*
agua (el)   (0 B)   *water*
aguacate (el)   (5 C)   *avocado*
aguda (la)   (10 C)   *stressed on the last syllable*
águila (el)   (9 B)   *eagle*
ahora   (1 A)   *now*
ahora mismo   (5 A)   *right now*
ahorrar   (10 C)   *to save*
ajedrez (el)   (8 Anex)   *chess*
ajo (el)   (9 B)   *garlic*
alarma (la)   (6 Auto)   *alarm*
alcázar (el)   (8 Auto)   *castle, fort*
alegre   (7 C)   *happy*

alemán/alemana (el, la)   (0 A)   *German*
Alemania   (0 A)   *Germany*
alfombra (la)   (4 B)   *carpet, mat*
alguien   (1 Auto)   *someone*
algunos/-as   (2 D)   *some*
allí   (3 A)   *there*
alma (el)   (7 C)   *soul*
almacén (el)   (3 B)   *store, warehouse*
alojarse   (4 D)   *to stay*
alpinismo (el)   (10 D)   *mountaineering*
alpinista (el, la)   (10 D)   *mountaineer*
alquilar   (8 Auto)   *to rent, to hire*
alternativo/-a   (6 D)   *alternative*
altitud (la)   (10 D)   *altitude*
alto   (8 B)   *loudly*
alto/-a   (6 Auto)   *tall*
altura (la)   (8 Auto)   *height*
alumno/-a (el, la)   (1 D)   *pupil*
amo/-a de casa (el, la)   (1 B)   *homemaker*
amable   (1 Anex)   *nice, kind*
amarillo/-a   (6 Auto)   *yellow*
ambiente (el)   (8 C)   *atmosphere*
ambulancia (la)   (5 C)   *ambulance*
América Latina   (0 C)   *Latin America*
americana (la)   (9 B)   *jacket*
amigo/-a (el, la)   (2 B)   *friend*
amparo (el)   (7 C)   *shelter, refuge*
ancho/-a   (9 A)   *wide*
anchoa (la)   (4 Auto)   *anchovy*
andaluz/a (el, la)   (0 C)   *Andalusian*
andando (andar)   (6 D)   *walking*
andar   (5 B)   *to walk*
andén (el)   (2 Auto)   *platform*

anillo (el)   (9 A)   *ring*
animado/-a   (6 C)   *lively*
animal (el)   (5 B)   *animal*
antes   (10 B)   *before*
antes (de)   (0)   *before*
antes de empezar   (0)   *before we start*
antiguo/-a   (9 B)   *old-fashioned, old*
antipático/-a   (7 C)   *unfriendly*
anunciado/-a (anunciar)   (4 B)   *advertised*
añade (añadir)   (5 C)   *add*
añadir   (10 D)   *to add*
año (el)   (0 B)   *year*
Año Nuevo (el)   (8 C)   *New Year*
apagar   (6 Auto)   *to turn off*
aparcacoches (el, la)   (5 D)   *parking valet*
aparecer   (2 D)   *to appear*
apartamento (el)   (4 D)   *flat*
apellido (el)   (0 B)   *surname*
aperitivo (el)   (7 D)   *aperitif*
aprender   (7 D)   *to learn*
apropiado/-a   (10 D)   *correct*
aproximadamente   (3 D)   *approximately*
apuntarme (apuntarse)   (1 C)   *to enrol*
aquel/aquella   (9 A)   *that*
aquí   (1 A)   *here*
árabe   (4 Anex)   *Arabic*
aragonés/-a (el, la)   (0 C)   *Aragonese*
árbol (el)   (8 Auto)   *tree*
arepa (la)   (5 D)   *type of pancake*
argentino/-a (el, la)   (0 C)   *Argentinian*
armario (el)   (4 B)   *cupboard*
arqueológico/-a   (8 A)   *archaeological*
arquitecto/-a (el, la)   (1 B)   *architect*
Arquitectura (la)   (2 A)   *architecture*
arreglarse   (7 Anex)   *to get ready*
arriba   (4 A)   *upstairs*
arroz (el)   (0 B)   *rice*
arrullo (el)   (7 C)   *murmur*
arte (el)   (2 B)   *art*
Artes Gráficas (las)   (5 B)   *Graphic Arts*
artesanía (la)   (6 Auto)   *craft*
artesano/-a   (10 D)   *craftsman/woman*
artista (el, la)   (8 D)   *artist*
asado/-a   (5 D)   *roast*
asador (el)   (5 D)   *grill, steakhouse*
ascensor (el)   (4 A)   *lift*
aseo (el)   (4 A)   *bathroom*
asesinado/-a   (6 D)   *murdered*
así   (0 B)   *like this*
asignatura (la)   (3 A)   *subject*
aspirina (la)   (8 Auto)   *aspirin*
asturiano/-a (el, la)   (0 C)   *Asturian*
asunto (el)   (8 B)   *subject, matter*
ataque (el)   (9 D)   *attack*
atención (la)   (5 C)   *attention*
atención a...   (5 C)   *pay attention to*
atender   (3 B)   *to attend*
atendiendo (atender)   (3 D)   *attending*

ático (el)   (4 A)   *top-floor flat*
atravesar   (8 D)   *to cross*
autobús (el)   (2 A)   *bus*
autocar (el)   (10 B)   *coach*
autóctono/-a   (5 D)   *native, local*
autoescuela (la)   (2 A)   *driving school*
autoevaluación (la)   (1 Auto)   *self-assessment*
autonómico/-a   (0 C)   *of an autonomous community*
auxiliar de vuelo (el, la)   (3 B)   *flight attendant*
avenida (la)   (8 A)   *avenue*
aventura (la)   (5 B)   *adventure*
aviación (la)   (9 D)   *air force, planes*
ayer   (4 B)   *yesterday*
ayudar   (4 C)   *to help*
ayuntamiento (el)   (3 B)   *town hall*
azafata (la)   (1 Anex)   *air hostess*
azúcar (el)   (5 C)   *sugar*
azul   (0 B)   *blue*

bailar   (3 B)   *to dance*
bailarín/a (el, la)   (6 D)   *dancer*
baile (el)   (3 A)   *dancing, dance*
bajo   (5 C)   *quietly*
bajo/-a   (7 C)   *short*
bala (la)   (5 C)   *bullet*
balear (el, la)   (0 C)   *person from the Balearic Islands*
baloncesto (el)   (6 Anex)   *basketball*
banco (el)   (3 D)   *bank*
bañador (el)   (7 B)   *swimming costume*
bañar(se)   (7 Anex)   *to go for a swim*
bañera (la)   (4 B)   *bath*
baño (el)   (10 D)   *swim*
bar (el)   (0 B)   *bar*
barato/-a   (3 D)   *cheap*
barba (la)   (7 C)   *beard*
barco (el), barca (la)   (8 D)   *boat*
barra (la)   (5 C)   *loaf*
barril (el)   (6 C)   *barrel*
barrio (el)   (5 B)   *district, neighbourhood*
básico/-a   (5 Anex)   *basic*
bastante   (6 Auto)   *quite*
bata (la)   (5 C)   *dressing gown*
batalla (la)   (6 D)   *battle*
batido (el)   (5 C)   *milkshake*
batidora (la)   (5 C)   *liquidizer*
bebé (el, la)   (10 B)   *baby*
bebida (la)   (5 A)   *drink*
belga (el, la)   (1 Anex)   *Belgian*
bello/-a   (4 C)   *beautiful*
besar(se)   (10 C)   *to kiss*
biblioteca (la)   (9 D)   *library*
bicicleta (la)   (2 B)   *bicycle*
bien   (0 B)   *well*
bienvenido/-a   (1 A)   *welcome*

bigote (el)   (7 C)   *moustache*
billar (el)   (7 A)   *billiards, pool*
billete de metro (el)   (6 A)   *underground ticket*
blanco/-a   (1 Anex)   *white*
bloque (el)   (4 D)   *block*
boca (la)   (5 C)   *mouth*
bocadillo (el)   (3 C)   *sandwich*
boda (la)   (7 Auto)   *wedding*
bolígrafo (el)   (2 A)   *ball-point pen*
boliviano/-a (el, la)   (0 C)   *Bolivian*
bollería (la)   (3 C)   *cakes and pastries*
bollo (el)   (3 C)   *bun, cake*
bolsa (la)   (9 Auto)   *bag*
bolso (el)   (9 C)   *bag, handbag*
bombardeo (el)   (9 D)   *bombing*
bombero/-a (el, la)   (3 B)   *firefighter*
bombón (el)   (2 D)   *chocolate*
bota (la)   (9 C)   *boot*
botella (la)   (4 B)   *bottle*
botiquín (el)   (10 D)   *first-aid kit*
(a la) brasa   (5 D)   *barbecued*
brasileño/-a (el, la)   (0 A)   *Brazilian*
brazo (el)   (10 A)   *arm*
breve   (9 D)   *brief*
británico/-a (el, la)   (1 A)   *British*
brújula (la)   (10 D)   *compass*
buenas noches   (0 A)   *good evening/night*
buenas tardes   (0 A)   *good afternoon*
bueno/-a   (0 A)   *good*
buenos días   (0 A)   *good morning*
buscar   (7 C)   *to look for*

(a) caballo   (6 D)   *on horseback*
caballo (el)   (6 D)   *horse*
caber   (9 C)   *to fit*
cabeza (la)   (10 A)   *head*
cabrito (el)   (5 D)   *kid*
cacahuete (el)   (5 C)   *peanut*
cacao (el)   (3 Anex)   *cocoa powder*
cada ... horas   (10 A)   *every ... hours*
cadena (la)   (3 B)   *chain*
(no me) caen bien (caer)   (9 Anex)   *I don't like them*
caer(se)   (8 Auto)   *to fall*
caer bien   (9 Anex)   *to like someone*
café (el)   (0 B)   *coffee*
caja (la)   (2 D)   *box*
cajero/-a (el, la)   (3 B)   *cashier*
cajón (el)   (4 Auto)   *drawer*
calamar (el)   (5 Auto)   *squid*
calcetín (el)   (2 D)   *sock*
calcular   (10 D)   *to calculate*
calefacción (la)   (4 B)   *heating*
calidad (la)   (4 B)   *quality*
caliente   (3 C)   *hot*
callado/-a   (7 C)   *quiet*

Glossary

calle (la)   (1 C)   *street*
calor (el)   (4 C)   *heat*
caluroso/-a   (4 C)   *hot*
calvo/-a   (7 C)   *bald*
cama (la)   (10 A)   *bed*
cámara (la)   (2 B)   *camera*
camarero/-a (el, la)   (1 B)   *waiter/waitress*
cambiar   (2 D)   *to change*
camino (el)   (6 D)   *route, way*
camisa (la)   (9 A)   *shirt*
camiseta (la)   (9 B)   *T-shirt*
campeonato (el)   (10 Anex)   *championship*
campesino/-a   (10 D)   *peasant*
campiña (la)   (5 D)   *countryside*
campo (el)   (4 C)   *country*
Canadá   (1 A)   *Canada*
canadiense (el, la)   (1 A)   *Canadian*
canario/-a (el, la)   (0 C)   *Canary Islander*
canción (la)   (8 D)   *song*
canoa (la)   (10 D)   *canoe*
cansado/-a   (8 B)   *tired*
cantábrico/-a   (8 D)   *Cantabrian*
cántabro/-a (el, la)   (0 C)   *Cantabrian*
cantante (el, la)   (1 B)   *singer*
cantar   (7 B)   *to sing*
capital (la)   (0 C)   *capital*
capitán/a (el, la)   (8 B)   *captain*
cara (la)   (10 A)   *face*
caracol (el)   (5 Anex)   *snail*
carácter (el)   (7 Anex)   *character*
caramelo (el)   (0 B)   *sweet*
carne (la)   (1 B)   *meat*
carne roja (la)   (5 D)   *red meat*
caro/-a   (6 C)   *expensive*
carpeta (la)   (2 Auto)   *file, folder*
carrera (la)   (8 Anex)   *race*
carretera (la)   (10 D)   *road*
carta (la)   (8 A)   *letter*
cartera (la)   (2 B)   *wallet, briefcase*
cartero/-a (el, la)   (1 B)   *postman/postwoman*
casa (la)   (0 B)   *house*
casado/-a   (1 Auto)   *married*
casarse   (2 D)   *to get married*
casero/-a   (5 D)   *homemade*
casi   (7 D)   *almost*
castaño/-a   (7 C)   *brown*
castellanoleonés/a (el, la)   (0 C)   *person from Castile and León*
castellanomanchego/-a (el, la)   (0 C)   *person from Castile and La Mancha*
castigar   (10 Anex)   *to punish*
catalán/a (el, la)   (0 C)   *Catalan*
catorce   (0 B)   *fourteen*
cazo (el)   (0 B)   *saucepan*
cebiche (el)   (5 D)   *ceviche*
celebración (la)   (8 C)   *celebration*
celebrar   (2 D)   *to celebrate*
cementerio (el)   (8 C)   *cemetery*

cenar   (2 C)   *to have dinner*
centígrado   (8 C)   *centigrade*
central telefónica (la)   (8 A)   *telephone exchange*
centro (el)   (4 A)   *centre*
centro comercial (el)   (9 A)   *shopping centre*
centro de Arte (el)   (8 A)   *Arts Centre*
cerámica (la)   (10 D)   *pottery*
cerca (de)   (2 A)   *near*
cercano/-a   (8 A)   *nearby*
cereales (los)   (3 C)   *cereals*
cereza (la)   (0 B)   *cherry*
cero   (1 C)   *zero*
cerrado/-a   (0 B)   *closed*
cerrar   (2 C)   *to close*
cerrar asuntos   (8 B)   *to finish off business*
cerveza (la)   (4 Auto)   *beer*
chalé (el)   (4 A)   *detached house*
chaqueta (la)   (2 B)   *jacket*
charlar   (4 C)   *to chat*
chico/-a (el, la)   (1 Anex)   *boy/girl*
chileno/-a (el, la)   (0 C)   *Chilean*
chocolate (el)   (0 B)   *chocolate*
churro (el)   (3 C)   *stick of fried dough*
cielo (el)   (7 Auto)   *sky*
cien   (2 C)   *hundred*
ciencia-ficción (la)   (5 B)   *science fiction*
ciento once   (2 C)   *a hundred and eleven*
ciento treinta y cinco   (2 C)   *a hundred and thirty-five*
ciento tres   (2 C)   *a hundred and three*
ciento veinticinco   (2 C)   *a hundred and twenty-five*
cerrar   (2 C)   *to close*
cierre (el)   (6 A)   *closing, closure*
ciervo (el)   (7 C)   *deer, stag*
cigarrillo (el)   (3 C)   *cigarette*
cinco   (1 C)   *five*
cinco mil   (2 C)   *five thousand*
cincuenta   (2 C)   *fifty*
cincuenta y seis   (2 A)   *fifty-six*
cine (el)   (0 B)   *cinema*
cinta (la)   (9 Auto)   *ribbon*
cinturón (el)   (9 Auto)   *belt*
cita (la)   (7 Auto)   *date*
ciudad (la)   (2 A)   *town, city*
civil   (9 D)   *civil*
claro   (3 A)   *of course*
claro/-a   (7 C)   *light-coloured, pale*
clase (la)   (1 A)   *class, classroom*
clásico/-a   (5 Auto)   *classic*
cliente/-a (el, la)   (8 B)   *customer*
clima (el)   (5 A)   *climate*
cobrar   (3 B)   *to charge, to take money from*
cocido (el)   (7 C)   *stew*
cocina (la)   (4 A)   *kitchen*
cocinar   (5 B)   *to cook*
cocinero/-a (el, la)   (1 B)   *cook*

coger   (6 D)   *to take, to get*
cojín (el)   (4 B)   *cushion*
colegio (el)   (1 Auto)   *school*
colgante (colgar)   (10 D)   *pendant*
collar (el)   (9 B)   *necklace*
Colombia   (1 A)   *Colombia*
colombiano/-a (el, la)   (0 C)   *Colombian*
colonial   (4 C)   *colonial*
color (el)   (0 B)   *colour*
comedia (la)   (5 B)   *comedy*
comedor (el)   (4 A)   *dining room*
comer   (2 C)   *to eat, to have lunch*
comercios (los)   (2 C)   *shops*
comida (la)   (5 Anex)   *food, lunch*
comisaría (la)   (8 A)   *police station*
como   (2 D)   *as*
¿cómo me queda?   (9 A)   *how does it look on me?*
¡cómo no!   (8 A)   *of course!*
¿cómo se dice ... ?   (0 B)   *how do you say ...?*
¿cómo se escribe?   (0 B)   *how do you spell it?*
¿cómo se pronuncia?   (0 B)   *how do you pronounce it?*
¿cómo te llamas?   (0 A)   *what's your name?*
¿cómo?   (0 A)   *pardon?*
cómodo/-a   (4 B)   *comfortable*
compañero/-a (el, la)   (0 B)   *colleague*
compañero/-a de estudios (el)   (5 A)   *class-mate*
compañero/-a de trabajo (el)   (5 A)   *workmate*
compañía (la)   (5 A)   *company*
comparación (la)   (9 Auto)   *comparison*
compartir   (5 A)   *to share*
complacer   (7 C)   *to please*
completar   (10 C)   *to complete, to fill in*
completo/-a   (5 A)   *complete, full*
comportarse   (7 Auto)   *to behave*
compra (la)   (3 D)   *purchase*
comprar   (8 B)   *to buy*
comprender   (5 Auto)   *to understand*
compuesto/-a   (2 D)   *made up of*
común   (4 C)   *common*
comunicación (la)   (1 A)   *communication*
comunicado/-a   (6 C)   *well-served*
con   (0 B)   *with*
concertar   (7 Auto)   *to arrange*
concierto (el)   (7 D)   *concert*
concordancia (la)   (9 Auto)   *agreement*
condición (la)   (8 C)   *condition*
conductor/a (el, la)   (1 B)   *driver*
conectar(se)   (6 Auto)   *to connect*
conjuntos (los)   (0 B)   *groups*
conocer   (1 A)   *to know*
conocido/-a   (8 D)   *well-known*
conservado/-a   (6 Auto)   *preserved*
constructor/a (el, la)   (10 D)   *builder*
consulta (la)   (8 B)   *surgery*
consumir   (5 C)   *to consume, to eat*

contabilidad (la)   (4 A)   *accounting*
contacto (el)   (9 D)   *contact*
contaminado/-a   (9 C)   *polluted*
contar   (2 Auto)   *to count*
contemporáneo/-a   (9 D)   *contemporary*
contento/-a   (6 D)   *happy, content*
contestar   (6 B)   *to answer*
continental   (3 C)   *continental*
continuar   (10 D)   *to continue*
contra   (6 D)   *against*
(por el) contrario   (5 B)   *on the other hand*
contrario/-a   (10 B)   *opposite*
contrato (el)   (8 B)   *contract*
conversación (la)   (4 C)   *conversation*
convertir(se)   (8 D)   *to become*
copa (la)   (5 A)   *drink*
corazón (el)   (10 D)   *heart*
corbata (la)   (9 B)   *tie*
cordero (el)   (5 D)   *lamb*
corregir   (10 D)   *to correct, to mark*
correo electrónico (el)   (1 C)   *email*
correspondiente   (10 C)   *corresponding, ap-*
    propriate
córtalo (cortar)   (5 C)   *cut it*
(no te) cortes... (cortarse)   (10 Anex)   *don't*
    cut yourself
corto/-a   (7 C)   *short*
cosa (la)   (0 B)   *thing*
costa (la)   (4 D)   *coast*
costar   (9 A)   *to cost*
costarricense (el, la)   (0 C)   *Costa Rican*
costurera (la)   (6 D)   *dressmaker*
cotidiano/-a   (3 Anex)   *everyday, daily*
crecer   (7 C)   *to grow*
creer   (10 A)   *to believe*
cretense (el, la)   (1 Anex)   *Cretan*
criollo/-a   (5 D)   *creole*
crucero (el)   (4 D)   *cruise*
Cruz Roja (la)   (1 C)   *Red Cross*
cruzar   (10 D)   *to cross*
cuaderno (el)   (2 D)   *notebook*
cuadro (el)   (2 B)   *painting*
¿cuál es...?   (1 C)   *which is ...?*
cualquier/a   (6 Auto)   *any*
cuando   (2 C)   *when*
¿cuánto/-a...?   (9 A)   *how much ...?*
¿cuántos...?   (1 B)   *how many ...?*
cuarenta   (2 C)   *forty*
(y) cuarto   (2 C)   *quarter (past)*
cuarto de baño (el)   (4 A)   *bathroom*
cuarto/-a   (4 A)   *fourth*
cuatro   (0 B)   *four*
cuatrocientos/-as   (2 C)   *four hundred*
Cuba   (3 A)   *Cuba*
(a la) cubana   (5 A)   *Cuban-style*
cubano/-a (el, la)   (0 C)   *Cuban*
cubito (el)   (5 C)   *ice cube*
cuchara (la)   (5 A)   *spoon*

cucharadita (la)   (5 C)   *teaspoonful*
cucharilla (la)   (5 A)   *teaspoon*
cuchillo (el)   (5 A)   *knife*
(en) cuclillas   (10 D)   *crouching*
cuello (el)   (10 A)   *neck*
cuenta (la)   (5 A)   *bill*
cuéntame (contar)   (3 D)   *tell me*
cuerda (la)   (10 D)   *rope*
cuidado (el)   (6 Anex)   *care*
cuidar   (3 B)   *to look after, to take care of*
cultivador/a (el, la)   (5 C)   *grower*
cultivar   (4 D)   *to grow, to cultivate*
cultura (la)   (1 D)   *culture*
cultural   (9 D)   *cultural*
cumpleaños (el)   (2 D)   *birthday*

D

danza (la)   (8 C)   *dance*
dar   (1 C)   *to give*
dato (el)   (1 C)   *piece of information, detail*
de   (0 A)   *of, from*
¿de dónde?   (0 A)   *where from?*
¿de parte de quién?   (7 A)   *who's calling?*
debajo   (2 B)   *under*
deber a   (6 D)   *to owe*
deberes (los)   (5 Anex)   *homework*
década (la)   (2 C)   *decade*
decidir   (5 B)   *to decide*
décimo/-a   (4 A)   *tenth*
decir   (1 D)   *to say, to tell*
decoración (la)   (10 C)   *decoration*
decorado/-a (decorar)   (4 D)   *decorated*
dedicar(se)   (1 B)   *to do*
¿(a qué te) dedicas?   (1 B)   *what do you do?*
dedo (el)   (10 A)   *finger, toe*
defensa (la)   (6 D)   *defence*
degustación (la)   (5 D)   *tasting menu*
dejar un recado   (7 A)   *to leave a message*
del   (0 C)   *of the, from the*
delante   (2 B)   *in front*
delgado/-a   (7 C)   *thin*
(los) demás   (3 A)   *the rest*
democrático/-a   (9 D)   *democratic*
dentro de   (6 Auto)   *in, within*
dentro de ... minutos   (6 Auto)   *in ... minutes*
departamento (el)   (4 A)   *department*
depende   (6 D)   *(it) depends*
dependiente/-a (el, la)   (3 B)   *shop assistant*
deporte (el)   (2 B)   *sport*
deportista (el, la)   (6 D)   *sportsman/sports-*
    woman
deportivo/-a   (2 D)   *sports*
derecha (la)   (2 B)   *right*
(a la) derecha   (2 B)   *on the right*
desayunar   (2 C)   *to have (for) breakfast*
desayuno (el)   (3 Auto)   *breakfast*
descansar   (4 C)   *to rest*

descanso (el)   (4 C)   *rest*
desconocido/-a   (1 D)   *that we don't know*
describir   (4 Auto)   *to describe*
descubrir   (8 D)   *to discover*
desde   (3 A)   *from, since*
desear   (3 C)   *to want, to like*
deseo (el)   (9 D)   *wish, desire*
desierto (el)   (8 Auto)   *desert*
despacho (el)   (6 Auto)   *office*
despedirse   (1 D)   *to say goodbye*
despiérteme (despertar)   (6 B)   *wake me*
después   (7 A)   *after*
destinado/-a   (4 D)   *intended for*
destino (el)   (2 Auto)   *destination*
destruido/-a (destruir)   (9 D)   *destroyed*
detalle (el)   (10 D)   *detail*
detrás   (2 B)   *behind*
día (el)   (0 A)   *day*
día festivo   (5 A)   *holiday*
día laborable   (5 A)   *workday*
diario/-a   (5 D)   *daily*
diccionario (el)   (2 B)   *dictionary*
diciembre   (8 C)   *December*
diecinueve   (1 C)   *nineteen*
dieciocho   (1 C)   *eighteen*
dieciséis   (1 C)   *sixteen*
diecisiete   (1 C)   *seventeen*
diente (el)   (4 B)   *tooth*
dieta (la)   (5 A)   *diet*
diez   (1 C)   *tenth*
diferencia (la)   (4 Auto)   *difference*
diferente   (8 B)   *different*
difícil   (8 D)   *difficult*
dígale que...   (7 A)   *tell him/her that ...*
¿dígame? (decir)   (4 C)   *hello*
digestivo/-a   (9 Anex)   *digestive*
dime (decir)   (6 B)   *tell me*
dinero (el)   (1 B)   *money*
dios (el)   (10 D)   *god*
directamente   (3 D)   *straight, directly*
dirigirse   (8 D)   *to go*
disco (el)   (4 Anex)   *disk*
discoteca (la)   (2 C)   *nightclub*
discutir   (7 B)   *to talk, to argue*
diseñador/a (el, la)   (1 D)   *designer*
disfrutar   (8 C)   *to enjoy*
dispensario (el)   (8 A)   *dispensary*
distancia (la)   (2 C)   *distance*
distinto/-a   (7 Auto)   *different*
divertido/-a   (7 C)   *fun*
doble   (4 C)   *double*
doce   (1 C)   *twelve*
documental (el)   (7 Auto)   *documentary*
documento (el)   (2 D)   *document*
doler   (10 A)   *to hurt*
dolor (el)   (9 D)   *pain*
domicilio (el)   (1 C)   *home*
domingo (el)   (3 A)   *Sunday*

Glossary

dominicano/-a (el, la)   (0 C)   *Dominican*
don/doña   (4 A)   *Mr/Mrs*
¿dónde...?   (1 B)   *where?*
dormitorio (el)   (4 A)   *bedroom*
dos   (0 B)   *two*
dos mil   (2 C)   *two thousand*
doscientos veintiséis   (2 C)   *two hundred and twenty-six*
doscientos/-as   (2 C)   *two hundred*
duerme (dormir)   (6 D)   *sleeps*
dulce (el)   (8 C)   *sweet*
durante   (3 D)   *for, during, in*
durar   (8 C)   *to last*
duro/-a   (3 A)   *hard*

E

echar   (6 Anex)   *to add, to put in*
ecológico/-a   (5 D)   *ecological*
Económicas   (4 A)   *Economics*
economista (el, la)   (1 B)   *economist*
ecuatoriano/-a   (0 C)   *Ecuadorian*
edad (la)   (1 D)   *age*
edificio (el)   (6 Auto)   *building*
educación (la)   (7 C)   *politeness*
educado/-a   (7 C)   *polite*
(en) efectivo   (9 A)   *(in) cash*
ejemplo (el)   (0 B)   *example*
(por) ejemplo   (9 D)   *(for) example*
ejercicio (el)   (6 C)   *exercise*
ejercicios prácticos (los)   (1 Anex)   *practice exercises*
él/ella   (1 B)   *he/she, him/her*
elaborado/-a (elaborar)   (5 D)   *made*
elegante   (9 B)   *smart, elegant*
ellos/-as   (1 B)   *they/them*
emisora (la)   (3 B)   *station*
empanada (la)   (3 C)   *pasty*
empanada al vapor (la)   (3 C)   *steamed pasty*
empedrado/-a   (10 D)   *cobbled, paved*
empezar   (0)   *to start*
empresa (la)   (1 B)   *company, firm*
en   (1 A)   *in, on*
encantado/-a   (1 A)   *charmed, delighted*
encantado/-a de conocerla   (1 A)   *delighted to meet you*
encantar   (5 B)   *to love*
encargar   (9 D)   *to commission*
encargarse de   (6 Anex)   *to deal with, to take care of*
encender   (8 C)   *to light*
enciende (tú) (encender)   (6 B)   *turn on*
encima   (2 B)   *on top*
encontrar   (4 D)   *to find*
encontrarse   (4 C)   *to meet*
enero   (8 C)   *January*
enfermedad (la)   (10 Auto)   *illness*
enfermero/-a (el, la)   (3 B)   *nurse*

enfermo/-a   (6 Anex)   *ill, sick*
enfrente (de)   (4 C)   *opposite*
ensalada (la)   (5 D)   *salad*
ensalada mixta (la)   (5 A)   *mixed salad*
enseguida   (5 A)   *immediately*
enseñar   (3 B)   *to teach*
(no) entiendo (entender)   (0 B)   *I (don't) understand*
entonces   (7 D)   *then*
entrar   (3 A)   *to enter, to go in*
entre   (2 B)   *between*
entrenar   (10 B)   *to train*
entrevista (la)   (10 D)   *interview*
entrevistar   (7 D)   *to interview*
envolver   (9 Auto)   *to wrap up*
envuelto/-a (envolver)   (10 D)   *wrapped up*
equilibrado/-a   (5 A)   *balanced*
equipo (el)   (7 Auto)   *team*
equipo de música (el)   (4 B)   *music system*
era (ser)   (10 B)   *was*
eres (ser)   (0 A)   *you are*
error (el)   (10 Anex)   *error, mistake*
es (ser)   (1 B)   *is*
es cierto que...   (5 C)   *it's true that ...*
escalada (la)   (10 D)   *climbing*
escalón (el)   (10 D)   *step*
escalope (el)   (5 Anex)   *escalope*
escocés/a   (10 Anex)   *Scottish*
escoger   (5 A)   *to choose*
escribe (escribir)   (0 B)   *writes*
escríbeme (escribir)   (5 B)   *write to me*
escribir   (4 Auto)   *to write*
escritor/a (el, la)   (1 Anex)   *writer*
escuchar   (1 A)   *to listen*
escuela (la)   (3 A)   *school*
escultor/a (el, la)   (8 D)   *sculptor*
esdrújula   (10 C)   *stressed on the third-last syllable*
ese/-a   (2 D)   *that*
(por) eso   (3 B)   *that's why*
espalda (la)   (10 A)   *back*
España   (0 A)   *Spain*
español (el)   (0 A)   *Spanish*
español/española (el, la)   (0 A)   *Spaniard*
espárrago (el)   (5 Anex)   *asparagus*
especial   (2 D)   *special*
especialidad (la)   (5 D)   *speciality*
especialmente   (8 D)   *especially*
espectacular   (10 D)   *spectacular*
espectáculo (el)   (8 C)   *spectacle, show*
espejo (el)   (4 B)   *mirror*
esperar   (6 B)   *to wait (for), to expect*
esquiar   (5 Anex)   *to ski*
está bien (estar)   (0 B)   *is correct*
establecimiento (el)   (8 Auto)   *establishment*
estación (la)   (6 A)   *station*
estación de policía (la)   (8 A)   *police station*
Estados Unidos   (2 C)   *United States*

estadounidense (el, la)   (1 A)   *American*
estampado (el)   (9 Auto)   *pattern*
están (estar)   (1 A)   *they are*
están comprando (comprar)   (6 A)   *they are shopping/buying*
están jugando (jugar)   (7 B)   *they are playing*
están llamando a un taxi (llamar)   (6 A)   *they are calling a taxi*
están sacando (sacar)   (6 A)   *they are taking out*
estancia (la)   (5 D)   *cattle ranch*
estanco (el)   (6 A)   *tobacconist's*
estar de acuerdo   (10 B)   *to agree*
estar de vacaciones   (4 D)   *to be on holiday*
estar ocupado/-a   (10 B)   *to be busy*
este (el)   (8 Anex)   *east*
este/-a   (1 A)   *this*
estilo (el)   (1 D)   *style*
estómago (el)   (10 A)   *stomach*
estoy (estar)   (1 Auto)   *I am*
estoy viendo (ver)   (7 A)   *I am watching*
estrecho/-a   (6 Auto)   *narrow*
estricto/-a   (7 D)   *strict*
estudiaba (estudiar)   (10 B)   *studied, was studying*
estudiante (el, la)   (0 B)   *student*
estudiar   (0 B)   *to study, to learn*
estupendo   (7 A)   *wonderful*
estuviera (estar)   (9 D)   *were*
europeo/-a   (3 C)   *European*
evitar   (4 D)   *to avoid*
examen (el)   (0 B)   *exam*
excursión (la)   (8 Auto)   *trip, excursion*
exiliado/-a (exiliar)   (7 Auto)   *exiled*
existir   (6 A)   *to exist*
éxito (el)   (0 B)   *success*
exponer   (9 D)   *to show*
exposición (la)   (5 Anex)   *exhibition*
expresar   (10 D)   *to express*
extendido/-a   (5 A)   *widespread, common*
extrañar   (6 C)   *to surprise*
extremeño/-a   (0 C)   *Extremaduran*

F

fabada (la)   (5 D)   *bean stew*
fácil   (5 B)   *easy*
falda (la)   (9 A)   *skirt*
familia (la)   (2)   *family*
familiar   (2 D)   *family*
familiares (los)   (5 A)   *family members, relatives*
famoso/-a   (6 D)   *famous*
fantasma (el)   (7 Auto)   *ghost*
fantástico/-a   (6 D)   *fantastic*
farmacia (la)   (2 C)   *chemist's*
por favor   (0 B)   *please*
favor (el)   (6 Auto)   *favour*
favorito/-a   (7 C)   *favourite*
febrero   (8 C)   *February*

feo/-a   (6 Auto)   *ugly*
ferrocarril (el)   (6 C)   *railway*
festejo (el)   (8 C)   *celebration*
festival (el)   (10 Auto)   *festival*
festividad (la)   (8 C)   *festivity*
fideos (los)   (5 A)   *noodles*
fiebre (la)   (10 A)   *fever, temperature*
fiesta (la)   (0 B)   *party*
fijarse   (10 C)   *to notice*
(por) fin   (6 C)   *finally, at last*
fin de semana (el)   (1 B)   *weekend*
final (el)   (8 A)   *end*
(a) finales   (8 D)   *at the end*
flamenco/-a   (7 Auto)   *flamenco*
flan (el)   (5 Auto)   *caramel custard*
flauta travesera (la)   (2 D)   *flute*
flor (la)   (4 C)   *flower*
formal   (9 B)   *formal*
formar   (2 Auto)   *to form, to make*
formar parte de   (2 D)   *to form part of*
fórmula (la)   (1 D)   *formula*
fortaleza (la)   (10 D)   *fort*
foto (la)   (6 Auto)   *photo*
fotocopia (la)   (6 Auto)   *photocopy*
fotografía (la)   (2 B)   *photograph*
francés/francesa   (0 A)   *Frenchman/French-woman*
Francia   (0 A)   *France*
frase (la)   (10 C)   *sentence*
(con) frecuencia   (9 D)   *frequently*
frecuente   (2 D)   *frequent*
fregadero (el)   (4 B)   *sink*
fresa (la)   (5 A)   *strawberry*
frigorífico (el)   (4 B)   *fridge*
frío (el)   (6 Anex)   *cold*
frío/-a   (3 Auto)   *cold*
frito/-a (freír)   (5 D)   *fried*
fruta (la)   (3 C)   *fruit*
fue (ir)   (8 B)   *went*
fue trasladado (trasladar)   (9 D)   *was moved*
fuera (de)   (5 A)   *outside*
fuerte   (8 C)   *strong*
fui (ir)   (8 B)   *I went*
fumar   (0 B)   *to smoke*
fútbol (el)   (5 B)   *football*
futbolista (el, la)   (1 B)   *footballer*
futuro (el)   (10 Auto)   *future*

G

gafas (las)   (2 B)   *glasses*
gafas de sol (las)   (7 B)   *sunglasses*
gallego/-a (el, la)   (0 C)   *Galician*
galleta (la)   (3 D)   *biscuit*
gamba (la)   (5 Auto)   *prawn*
ganar   (8 D)   *to win*
garaje (el)   (4 A)   *garage*
garganta (la)   (10 A)   *throat*

gastar   (7 C)   *to spend*
gato/-a (el, la)   (0 B)   *cat*
gaviota (la)   (7 Auto)   *seagull*
gazpacho (el)   (5 A)   *gazpacho*
generoso/-a   (7 C)   *generous*
genio (el)   (0 B)   *genius*
gente (la)   (0 B)   *people*
Geografía (la)   (3 A)   *geography*
geranio (el)   (9 B)   *geranium*
gimnasia (la)   (9 B)   *gymnastics*
gimnasio (el)   (1 C)   *gym*
gira (la)   (10 Auto)   *tour*
girar   (8 A)   *to turn*
giro (el)   (0 B)
gitano/-a (el, la)   (0 B)   *Gypsy*
gobierno (el)   (9 D)   *government*
golosina (la)   (8 C)   *sweet*
goma (la)   (3 C)   *rubber*
gordo/-a   (7 C)   *fat*
gorra (la)   (6 Anex)   *cap*
gorro (el)   (9 A)   *cap*
gota (la)   (3 C)   *drop*
grabar   (8 D)   *to record*
gracias   (1 A)   *thanks*
grado (el)   (8 C)   *degree*
grande   (3 B)   *large, big*
grandes almacenes (los)   (3 B)   *department store*
gripe (la)   (6 Anex)   *flu*
gris   (9 C)   *grey*
grueso/-a   (4 D)   *thick*
grupo (el)   (6 D)   *group*
guacamole (el)   (5 D)   *guacamole*
guajiro/-a   (7 C)   *peasant*
guantes (los)   (10 Auto)   *gloves*
guapo/-a   (3 C)   *beautiful*
guardar   (4 B)   *to keep*
guatemalteco/-a (el, la)   (0 C)   *Guatemalan*
guerra (la)   (0 B)   *war*
Guerra Civil   (9 D)   *Civil War*
guerrero/-a (el, la)   (0 B)   *warrior, fighter*
guía (el, la)   (1 B)   *guide*
guion (el)   (3 C)   *script*
guitarra (la)   (0 B)   *guitar*
gustar   (5 A)   *to like*
gusto (el)   (5 Auto)   *like*

H

ha cortado (cortar)   (6 C)   *has cut*
La Habana   (3 A)   *Havana*
había (haber)   (10 B)   *there was/were*
habitación (la)   (4 C)   *room*
habitación sencilla (la)   (4 C)   *single room*
habitante (el, la)   (6 D)   *inhabitant*
habitar   (7 Auto)   *to live*
hábito (el)   (5 A)   *habit*
habitual   (1 D)   *usual*

habitualmente   (5 A)   *usually*
hablador/a   (7 C)   *talkative*
hablar   (1 A)   *to talk, to speak*
(ni) hablar   (3 A)   *no way*
(no) hable (hablar)   (10 A)   *don't talk*
hacen (hacer)   (1 B)   *they make, they do*
(no) hagáis... (hacer)   (10 A)   *don't make, don't do*
hágame... (hacer)   (4 C)   *make me*
hamburguesa (la)   (5 A)   *hamburger*
hará (hacer)   (10 D)   *will make, will do*
hasta   (1 D)   *until*
hasta luego   (1 D)   *see you later*
hasta mañana   (1 D)   *see you tomorrow*
hasta pronto   (1 D)   *see you soon*
haz (hacer)   (6 B)   *do, make*
hecho (el)   (8 C)   *act, event*
helado (el)   (0 B)   *ice cream*
herido/-a (herir)   (7 C)   *wounded*
hermano/-a (el, la)   (2 A)   *brother/sister*
hermoso/-a   (4 C)   *beautiful*
hervir   (6 Anex)   *to boil*
hielo (el)   (5 C)   *ice*
hierba (la)   (10 D)   *grass*
higiene (la)   (5 A)   *hygiene*
higo (el)   (9 B)   *fig*
hijo/-a   (1 B)   *son/daughter*
himno (el)   (8 D)   *anthem, hymn*
hispano/-a   (9 Auto)   *Hispanic*
Hispanoamérica   (4 C)   *Spanish America*
Historia (la)   (5 Anex)   *history*
hoja (la)   (8 Auto)   *leaf*
¡hola!   (0 A)   *hello!*
hombre (el)   (1 Anex)   *man*
hombro (el)   (10 A)   *shoulder*
hondureño/-a (el, la)   (0 C)   *Honduran*
hora (la)   (2 Auto)   *time, hour*
¿(a qué) hora...?   (1 Anex)   *at what time ...?*
horario (el)   (3 Auto)   *timetable*
horno (el)   (4 B)   *oven*
(al) horno   (5 A)   *baked*
horrible   (7 B)   *horrible*
hospital (el)   (0 B)   *hospital*
hotel (el)   (0 B)   *hotel*
hoy   (6 B)   *today*
hueco (el)   (10 Anex)   *gap*
huerta (la)   (4 D)   *vegetable garden*
huevo (el)   (0 B)   *egg*
humor (el)   (6 Anex)   *humour*

I

íbamos (ir)   (10 B)   *we went*
idea (la)   (10 C)   *idea*
idioma (el)   (1 Anex)   *language*
iglesia (la)   (8 A)   *church*
igual que   (3 D)   *the same as*
ilusión (la)   (10 B)   *hopes, wishes*

imaginar   (10 C)   *to imagine*
imperial   (10 D)   *imperial*
imperio (el)   (10 D)   *empire*
importar   (6 C)   *to matter*
impresionante   (4 A)   *amazing*
inca (el, la)   (10 D)   *Inca*
inclinado/-a   (4 D)   *sloping*
incluido/-a (incluir)   (5 A)   *included*
incómodo/-a   (9 B)   *uncomfortable*
indicar   (4 A)   *to indicate*
indio/-a (el, la)   (5 C)   *Indian*
individual   (4 B)   *single*
inestable   (8 C)   *changeable*
infantil   (10 Auto)   *children's*
informal   (1 A)   *informal*
informar   (4 B)   *to inform*
informática (la)   (1 B)   *computing*
informático/-a (el, la)   (3 B)   *computer expert*
informe (el)   (6 B)   *report*
Inglés (el)   (4 Anex)   *English*
ingrediente (el)   (5 C)   *ingredient*
inmobiliaria (la)   (7 A)   *estate agency*
inolvidable   (8 D)   *unforgettable*
inquilino/-a (el, la)   (4 A)   *tenant*
inseguro/-a   (9 C)   *unsafe*
instrucción (la)   (5 Auto)   *instruction*
interesante   (8 D)   *interesting*
las más interesantes   (8 D)   *the most interesting*
interior (el)   (8 D)   *interior*
interiores (los)   (4 B)   *interiors*
invierno (el)   (8 C)   *winter*
invita (invitar)   (5 C)   *invites*
ir   (0 A)   *to go*
ir de compras   (5 B)   *to go shopping*
iraní (el, la)   (1 A)   *Iranian*
irregular   (7 D)   *irregular*
isla (la)   (8 Auto)   *island*
Italia   (0 A)   *Italy*
italiano/italiana   (0 A)   *Italian*
IVA (el)   (4 C)   *VAT*
izquierda (la)   (1 C)   *left*
(a la) izquierda   (2 B)   *on the left*

J

jabón (el)   (9 B)   *soap*
jamón (el)   (0 B)   *ham*
japonés/a (el, la)   (0 B)   *Japanese*
jardín (el)   (4 A)   *garden*
jardinero/-a (el, la)   (1 B)   *gardener*
jarra (la)   (5 A)   *jug*
jarrón (el)   (5 A)   *vase*
jazmín (el)   (7 C)   *jasmine*
jefe/-a (el, la)   (0 B)   *boss*
jersey (el)   (9 A)   *jumper, jersey*
jirafa (la)   (0 B)   *giraffe*
jota (la)   (0 B)   *J*
joven   (0 B)   *young*

joya (la)   (10 C)   *piece of jewellery*
judías verdes (las)   (5 A)   *green beans*
(a) juego con   (9 B)   *matching*
Juegos Olímpicos   (8 B)   *Olympic Games*
jueves (el)   (3 B)   *Thursday*
jugador/a (el, la)   (10 B)   *player*
jugar   (4 C)   *to play*
julio   (0 B)   *July*
junio   (8 C)   *June*
juntarse   (2 D)   *to get together*
junto a   (2 D)   *next to*
juntos   (7 D)   *together*
justo/-a   (9 B)   *fair*

K

kilogramo (el)   (0 B)   *kilogram*
kilómetro (el)   (6 A)   *kilometre*

L

labio (el)   (7 Anex)   *lip*
ladera (la)   (10 D)   *side*
(al) lado   (2 B)   *next to*
por otro lado   (2 D)   *on the other hand*
lámpara (la)   (2 B)   *lamp*
lana (la)   (9 A)   *wool*
lápiz (el)   (2 C)   *pencil*
largo/-a   (5 A)   *long*
lavabo (el)   (4 B)   *washbasin*
lavadora (la)   (4 B)   *washing machine*
lavar(se)   (3 Anex)   *to wash*
lavavajillas (el)   (4 B)   *dishwasher*
lección (la)   (0 B)   *lesson*
leche (la)   (3 C)   *milk*
lechón (el)   (5 D)   *suckling pig*
lechuga (la)   (5 Anex)   *lettuce*
lectura (la)   (4 B)   *reading*
leer   (1 B)   *to read*
lejos   (6 C)   *far*
lengua (la)   (3 A)   *language*
lento/-a   (6 C)   *slow*
león/a (el, la)   (0 B)   *lion*
letras (las)   (0 B)   *letters*
libre   (3 B)   *free*
libro (el)   (0 B)   *book*
líder (el, la)   (8 D)   *leader*
limón (el)   (0 B)   *lemon*
limpiador/a (el, la)   (1 B)   *cleaner*
limpiar   (5 C)   *to clean*
limpio/-a   (9 B)   *clean*
línea (la)   (6 A)   *line*
liso/-a   (7 C)   *straight*
llama (la)   (10 D)   *llama*
llamar   (6 A)   *to call*
llamar (por teléfono)   (7 A)   *to phone*
(me) llamo... (llamarse)   (0 A)   *my name is ...*
llana   (10 C)   *stressed on the next-to-last syllable*

llave (la)   (0 B)   *key*
llegada (la)   (2 Auto)   *arrival*
llegar   (3 Anex)   *to arrive*
lleno/-a   (4 C)   *full*
llevar   (7 C)   *to take*
llevar una vida sana   (5 C)   *to live a healthy life*
llevar(se)   (9 A)   *to take, to buy*
llorar   (7 B)   *to cry*
llover   (8 C)   *to rain*
lluvia (la)   (0 B)   *rain*
local   (5 B)   *local*
localización (la)   (6 D)   *location*
lograr   (8 B)   *to manage, to achieve*
lubina (la)   (5 A)   *bass*
luego   (1 D)   *later*
lugar (el)   (3 Auto)   *place*
luminoso/-a   (4 B)   *bright, light*
lunar (el)   (9 B)   *spot*
(de) lunares   (9 B)   *spotted*
lunes (el)   (3 A)   *Monday*
luz (la)   (5 A)   *light*

M

macarrones (los)   (5 Anex)   *macaroni*
maceta (la)   (4 C)   *flowerpot*
madera (la)   (4 B)   *wood*
madre (la)   (0 B)   *mother*
madrileño/-a (el, la)   (0 C)   *person from Madrid*
madrugada (la)   (3 B)   *early morning*
magdalena (la)   (3 C)   *small sponge cake*
maíz (el)   (5 C)   *maize, sweetcorn*
mal   (6 C)   *wrong*
maleducado/-a   (7 C)   *rude*
maleta (la)   (9 C)   *suitcase*
malo/-a   (6 C)   *bad*
manera   (2 D)   *way*
maní (el)   (5 C)   *peanut*
mano (la)   (10 A)   *hand*
manta (la)   (10 D)   *blanket*
mantel (el)   (5 A)   *tablecloth*
mantequilla (la)   (3 C)   *butter*
(por la) mañana   (1 D)   *in the morning*
mañana (la)   (1 D)   *morning*
mapas (los)   (0 C)   *maps*
máquina (la)   (6 A)   *machine*
mar (el)   (4 A)   *sea*
¡(de) maravilla!   (10 C)   *brilliant!, great!*
maravilloso/-a   (8 Auto)   *marvellous*
marcadores de lugar (los)   (2 B)   *prepositions of place*
marcha (la)   (10 D)   *hike, walk*
marcharse   (6 Auto)   *to leave*
marido (el)   (1 B)   *husband*
marisco (el)   (5 D)   *seafood*
marrón   (7 C)   *brown*
marroquí (el, la)   (1 A)   *Moroccan*
martes (el)   (3 B)   *Tuesday*

marzo   (2 C)   *March*
más   (2 D)   *more*
más importante   (2 D)   *more important*
más o menos   (3 A)   *more or less*
más tarde   (3 A)   *later*
más... que   (1 B)   *more ... than*
masajista (el, la)   (10 A)   *masseur/masseuse*
Matemáticas (las)   (1 Anex)   *mathematics*
mayo   (6 D)   *May*
mayonesa (la)   (5 Anex)   *mayonnaise*
mayor   (1 D)   *greater*
(de) mayor edad   (1 D)   *older*
mayoría (la)   (2 D)   *majority*
(y) media   (2 C)   *half past*
medias (las)   (9 Anex)   *stockings*
Medicina (la)   (2 A)   *medicine*
medicina (la)   (8 A)   *medicine*
médico/-a (el, la)   (1 B)   *doctor*
medieval   (6 D)   *medieval*
mediodía (el)   (2 C)   *midday*
mediterráneo   (4 D)   *Mediterranean*
mejor   (7 A)   *better*
mejor (el, la)   (8 D)   *best*
memorable   (8 Auto)   *memorable*
menos cuarto   (2 C)   *quarter to*
menos   (2 C)   *less*
mentira (la)   (6 B)   *lie*
menú (el)   (3 D)   *menu*
mercadillo (el)   (6 Auto)   *street market*
mercado (el)   (8 A)   *market*
merecer   (8 D)   *to deserve*
mermelada (la)   (3 C)   *jam, marmalade*
mes (el)   (2 C)   *month*
mesa (la)   (2 A)   *table*
mesita (la)   (2 B)   *small table*
mesón (el)   (7 A)   *inn, bar*
meteorológico/-a   (8 C)   *meteorological*
metro (el)   (3 Auto)   *metro, underground*
metro cuadrado (el)   (4 B)   *square metre*
metrobús (el)   (6 A)   *combined metro and bus ticket*
mexicano/-a (el, la)   (0 C)   *Mexican*
mezcla (la)   (5 C)   *mixture*
mézclalos (mezclar)   (5 C)   *mix them*
mezclar(se)   (4 D)   *to mix*
mi   (1 B)   *my*
microondas (el)   (4 B)   *microwave*
miel (la)   (10 A)   *honey*
miércoles (el)   (3 B)   *Wednesday*
mil   (2 C)   *thousand*
mil novecientos noventa y ocho   (2 C)   *nineteen ninety-eight*
mil novecientos ochenta y cinco   (2 C)   *nineteen eighty-five*
mil novecientos ochenta y ocho   (2 C)   *nineteen eighty-eight*
mil novecientos setenta y cinco   (2 C)   *nineteen seventy-five*

mil quinientos ochenta y nueve   (2 C)   *fifteen eighty-nine*
mil trescientos ochenta y nueve   (2 C)   *thirteen eighty-nine*
millón (el)   (9 D)   *million*
millonario/-a   (10 B)   *millionaire*
minuto (el)   (2 C)   *minute*
mira (mirar)   (0 B)   *look*
mis   (2 B)   *my*
mismo/-a   (3 A)   *same*
mixto/-a   (3 C)   *mixed*
mochila (la)   (4 B)   *backpack, rucksack*
moderno/-a   (7 C)   *modern*
mojado/-a   (6 Anex)   *wet*
(de) momento   (10 A)   *for the moment*
(en este) momento   (4 D)   *at the moment*
monasterio (el)   (8 A)   *monastery*
montaña (la)   (4 D)   *mountain*
montar   (10 D)   *to pitch*
montar en bicicleta   (5 B)   *to ride a bicycle*
monte (el)   (7 C)   *mountains*
morado/-a   (9 B)   *purple*
moreno/-a   (7 C)   *dark, brown*
morirse   (7 C)   *to die*
moto (la)   (5 D)   *motorbike*
moverse   (6 D)   *to move*
móvil (el)   (1 C)   *mobile phone*
muchísimo   (10 A)   *very much*
mucho gusto   (1 A)   *delighted*
mucho/-a   (1 B)   *a lot, much*
muchos/-as   (2 C)   *a lot, many*
muela (la)   (10 A)   *tooth*
muerte (la)   (8 C)   *death*
muerto/-a (el, la)   (8 C)   *dead person*
mujer (la)   (1 Anex)   *woman, wife*
mundialmente   (8 D)   *all over the world*
mundo (el)   (4 B)   *world*
murciano/-a (el, la)   (0 C)   *person from Murcia*
muro (el)   (4 D)   *wall*
museo (el)   (5 Anex)   *museum*
música (la)   (2 B)   *music*
musical (el)   (5 B)   *musical*
músico/-a (el, la)   (6 D)   *musician*
musulmán/a (el, la)   (8 D)   *Moslem*
muy   (1 A)   *very*

N

nacer   (8 D)   *to be born*
nacimiento (el)   (2 C)   *birth*
nacionalidad (la)   (1 A)   *nationality*
nada   (0 B)   *nothing*
nadar   (5 B)   *to swim*
napoleónico/-a   (6 D)   *Napoleonic*
naranja   (9 B)   *orange*
naranja (la)   (2 C)   *orange*
natillas (las)   (5 A)   *custard*
navegar   (5 B)   *to surf*

Navidad (la)   (2 D)   *Christmas*
(lo) necesario   (3 Auto)   *enough*
necesario/-a   (3 Auto)   *necessary*
necesitar   (9 B)   *to need*
negocio (el)   (3 D)   *business*
negro/-a   (3 C)   *black*
nervioso/-a   (6 Anex)   *nervous*
nevar   (8 C)   *to snow*
nevera (la)   (4 Anex)   *refrigerator*
nicaragüense (el, la)   (0 C)   *Nicaraguan*
nieve (la)   (4 D)   *snow*
niña (la)   (0 B)   *girl*
nivel   (10 D)   *level*
no   (0 B)   *nothing*
no... ni...   (10 A)   *neither ... nor*
(por la) noche   (1 D)   *at night*
noche (la)   (0 A)   *night*
nocturno/-a   (6 A)   *night*
nombre (el)   (1 A)   *name*
normalmente   (3 B)   *normally*
noroeste (el)   (6 D)   *northeast*
norte (el)   (3 C)   *north*
Noruega   (2 C)   *Norway*
nosotros/-as   (1 B)   *we, us*
nota (la)   (6 C)   *note*
noticia (la)   (8 Anex)   *piece of news*
noveno/-a   (4 A)   *ninth*
noventa   (2 C)   *ninety*
noviembre   (8 C)   *November*
novio/-a (el, la)   (1 B)   *boyfriend/girlfriend*
nublado/-a   (8 C)   *cloudy*
nuestro/-a   (2 B)   *our*
nuestros/-as   (2 B)   *our*
nueve   (1 C)   *nine*
nuevo/-a   (1 A)   *new*
número (el)   (1 C)   *number*
numeroso/-a   (6 D)   *many*
nunca   (3 D)   *never*

O

objeto (el)   (8 Anex)   *object*
obra (la)   (7 Auto)   *play*
ochenta   (2 C)   *eighty*
ochenta y siete   (1 C)   *eighty-seven*
ocho   (1 C)   *eight*
ochocientos cincuenta   (2 C)   *eight hundred and fifty*
ochocientos treinta   (2 C)   *eight hundred and thirty*
ocio (el)   (9 D)   *free time, leisure*
octavo/-a   (4 A)   *eighth*
octubre   (8 C)   *October*
odiar   (7 C)   *to hate*
oferta (la)   (9 D)   *offer*
oficial   (8 D)   *official*
oficina (la)   (1 A)   *office*
oficina de Correos (la)   (8 A)   *Post Office*

Glossary

oído (el)   (10 A)   *ear*
oiga (oír)   (9 A)   *excuse me*
oír   (5 B)   *to hear*
oliva (la)   (3 C)   *olive*
olvidar(se)   (9 Anex)   *to forget*
once   (1 C)   *eleven*
ópera (la)   (5 Anex)   *opera*
ordenador (el)   (2 A)   *computer*
ordenador portátil (el)   (10 D)   *laptop*
ordenar   (5 C)   *to put in order*
oreja (la)   (10 A)   *ear*
organizar   (10 C)   *to organize*
origen (el)   (5 C)   *origin*
originar   (6 D)   *to cause*
originario/-a   (5 C)   *originally from*
orilla (la)   (7 B)   *shore*
ortografía (la)   (10 C)   *spelling*
oscuro/-a   (7 C)   *dark*
otoño (el)   (8 C)   *autumn*
otro/-a   (3 A)   *other*

P

pabellón (el)   (9 D)   *pavilion*
paca (la)   (5 C)   *bale*
paciencia (la)   (6 Anex)   *patience*
paciente (el, la)   (8 B)   *patient*
padres (los)   (1 B)   *parents*
pagar   (3 C)   *to pay*
página (la)   (2 C)   *page*
pago (el)   (0 B)   *payment*
país (el)   (0 C)   *country*
paisaje (el)   (8 D)   *countryside*
pajar (el)   (9 B)   *hayloft*
pala (la)   (5 C)   *spade*
palma (la)   (7 C)   *palm tree*
pan (el)   (0 B)   *bread*
pana (la)   (9 C)   *corduroy*
panadería (la)   (8 D)   *baker's*
panameño/-a (el, la)   (0 C)   *Panamanian*
pantalones (los)   (9 A)   *trousers*
paquete (el)   (2 C)   *packet, bag*
para   (2 D)   *for*
para mí   (9 A)   *for me*
parada (la)   (6 A)   *stop*
parador (el)   (4 C)   *hotel*
paraguas (el)   (2 B)   *umbrella*
paraguayo/-a   (0 C)   *Paraguayan*
parar(se)   (8 D)   *to stop*
¿(te) parece bien...? (parecer bien/mal)   (2 D)   *what do you think (about...)?*
(en) parejas   (10 B)   *in pairs*
paréntesis (el)   (10 Auto)   *brackets*
pariente/-a (el, la)   (2 D)   *relative, relation*
parque (el)   (3 Auto)   *park*
parra (la)   (5 C)   *grapevine*
párrafo (el)   (10 D)   *paragraph*
parte (el)   (8 C)   *bulletin, report*

parte (la)   (2 D)   *part*
participar   (8 C)   *to take part*
partida (la)   (8 D)   *departure*
partido (el)   (5 B)   *game, match*
partir   (10 Anex)   *to cut*
pasado (el)   (10 Anex)   *past*
pasado/-a   (8 B)   *last*
pasar   (4 C)   *to spend, to pass*
pasar las vacaciones   (4 D)   *to spend one's holidays*
paseo (el)   (0 B)   *walk*
pasión de Jesucristo (la)   (8 C)   *passion of Christ*
pastel (el)   (5 Anex)   *cake, tart*
pastilla (la)   (10 A)   *tablet*
pata (la)   (5 C)   *leg*
patata (la)   (5 C)   *potato*
patio (el)   (4 B)   *patio, courtyard*
paz (la)   (0 B)   *peace*
pecho (el)   (10 A)   *breast*
pedir   (3 Auto)   *to order*
peinar(se)   (3 Anex)   *to comb one's hair*
pela (pelar)   (5 C)   *peel*
película (la)   (3 A)   *film*
película policiaca (la)   (5 B)   *crime film*
pelirrojo/-a   (7 B)   *red-headed*
pelo (el)   (7 B)   *hair*
pelota (la)   (7 B)   *ball*
peluquería (la)   (4 D)   *hairdresser's*
peluquero/-a (el, la)   (1 B)   *hairdresser*
pendiente   (8 B)   *outstanding*
pendientes (los)   (9 B)   *earrings*
pensar   (6 C)   *to think*
pepino (el)   (5 Auto)   *cucumber*
pequeño/-a   (0 B)   *small*
pera (la)   (0 B)   *pear*
perder   (3 Auto)   *to lose, to waste*
perdone (perdonar)   (0 B)   *sorry*
periódico (el)   (4 B)   *newspaper*
periodista (el, la)   (1 Anex)   *journalist*
permiso (el)   (7 D)   *permission*
pero   (1 A)   *but*
perro/-a (el, la)   (5 D)   *dog*
persona (la)   (1 D)   *person*
personaje (el)   (8 D)   *character*
peruano/-a (el, la)   (0 C)   *Peruvian*
pescadito (el)   (5 D)   *whitebait*
pescado (el)   (5 D)   *fish*
pescar   (5 Anex)   *to fish*
peso (el)   (10 Auto)   *weight*
pez (el)   (5 C)   *fish*
pianista (el, la)   (1 B)   *pianist*
pie (el)   (10 A)   *foot*
piedra (la)   (4 D)   *stone*
piel (la)   (7 Auto)   *skin*
pierna (la)   (10 A)   *leg*
pieza (la)   (5 C)
pimiento (el)   (5 Auto)   *pepper*

pincho (el)   (5 D)   *kebab*
pino (el)   (5 C)   *pine*
pintar   (5 B)   *to paint*
pintar(se) las uñas   (7 Anex)   *to varnish one's nails*
pintarse   (7 B)   *to put on makeup*
pintor/a (el, la)   (1 Anex)   *painter*
piña (la)   (5 C)   *pineapple*
pisar   (5 C)   *to step, to tread*
piscina (la)   (3 Auto)   *swimming pool*
piso (el)   (1 C)   *flat*
pizarra (la)   (5 Anex)   *blackboard*
plan (el)   (10 B)   *plan*
(a la) plancha   (5 A)   *(on the) griddle, (on the) hotplate*
plano (el)   (6 A)   *plan, map*
planta (la)   (2 B)   *plant*
planta baja (la)   (4 A)   *ground floor*
planta superior (la)   (4 B)   *top floor*
plátano (el)   (5 C)   *banana*
plato (el)   (4 B)   *plate*
playa (la)   (0 B)   *beach, seaside*
playera (la)   (9 B)   *canvas shoe*
plaza (la)   (6 A)   *square*
población (la)   (4 D)   *population*
poblado/-a   (8 D)   *populous*
pobre (el)   (7 C)   *poor person*
podemos (poder)   (1 D)   *we can*
poder   (6 B)   *to be able to*
poema (el)   (8 D)   *poem*
poesía (la)   (2 B)   *poetry, poem*
poeta (el, la)   (8 D)   *poet*
polaco/-a (el, la)   (1 A)   *Pole*
policía (el, la)   (8 Auto)   *police officer*
policía (la)   (8 A)   *police*
pollo (el)   (5 Auto)   *chicken*
Polonia   (1 A)   *Poland*
pon (poner)   (6 B)   *turn on*
poner   (5 A)   *to bring*
poner ... en el cine, en la tele...   (7 A)   *to show*
ponerse   (9 B)   *to put on*
popular   (3 D)   *popular*
por   (1 C)   *for, by*
¿por qué no...?   (7 A)   *why not ...?*
porque   (6 D)   *because*
porticado/-a   (6 D)   *surrounded by an arcade*
posible   (4 C)   *possible*
posta sanitaria (la)   (8 A)   *first-aid post*
postre (el)   (5 A)   *dessert*
practicaba (practicar)   (10 B)   *did*
prácticamente   (8 Auto)   *practically*
practicar   (9 D)   *to do*
pradera (la)   (8 D)   *meadow*
precio (el)   (2 C)   *price*
precioso/-a   (4 D)   *beautiful*
precipicio (el)   (10 D)   *precipice*
preferir   (3 Auto)   *to prefer*
preguntar   (1 Auto)   *to ask*

preocupar   (5 A)   *to worry*
preparado/-a   (6 B)   *prepared, ready*
preparar(se)   *to prepare*
preposición (la)   (3 Auto)   *preposition*
presentar   (1 Auto)   *to introduce*
presentarnos (presentarse)   (0 A)   *introduce us*
presento (presentar)   (1 A)   *I introduce*
presidente/-a (el, la)   (1 B)   *president*
prestar   (6 B)   *to lend*
primavera (la)   (8 C)   *spring*
primer plato (el)   (5 A)   *first course*
primera comunión (la)   (2 D)   *First Communion*
primero/-a   (4 A)   *first*
primo/-a (el, la)   (2 B)   *cousin*
principal   (3 D)   *main*
probablemente   (5 D)   *probably*
probador (el)   (9 Auto)   *fitting room*
probar(se)   (9 A)   *to try on*
problema (el)   (5 B)   *problem*
procedencia (la)   (2 Auto)   *point of departure*
proceder   (5 C)   *to come*
procesión (la)   (8 C)   *procession*
producirse   (9 D)   *to occur*
profesión (la)   (1 C)   *profession, job*
profesor/a (el, la)   (0 A)   *teacher*
pronto   (1 D)   *soon*
pronuncia (pronunciar)   (0 B)   *pronounces*
pronunciación (la)   (10 C)   *pronunciation*
propuesta (la)   (7 A)   *proposal*
proteger   (4 C)   *to protect*
protegido/-a   (10 D)   *protected*
provincia (la)   (0 C)   *province*
provincial   (3 A)   *provincial*
próximo/-a   (4 C)   *next*
público/-a   (3 Auto)   *public*
pueblo (el)   (3 B)   *village*
puede (poder)   (0 B)   *canvas shoe*
¿puede repetir, por favor?   (0 B)   *could you repeat that, please?*
puente (el)   (10 D)   *bridge*
puerta (la)   (1 C)   *door*
puerto (el)   (8 D)   *port, harbour*
puertorriqueño/-a (el, la)   (0 C)   *Puerto Rican*
pues   (3 A)   *well*
en punto   (2 C)   *sharp*
punto de partida/llegada (el)   (8 D)   *point of departure/arrival*

Q

que   (3 A)   *that, which*
¿qué estás haciendo?   (7 B)   *what are you doing?*
¿qué hora es?   (2 C)   *what time is it?*
¿qué (le) ocurre?   (10 A)   *what's the matter with you?*
¡qué mala cara tienes!   (10 A)   *you look awful!*
¿qué ponen?   (7 A)   *what are they showing?*

¿qué sabes?   (1 Auto)   *what do you know?*
¿qué significa?   (0 B)   *what does it mean?*
¿qué tal?   (1 A)   *how are you?*
¿qué te parece...?   (9 A)   *what do you think about ...?*
¿qué te pasa?   (10 A)   *what's wrong with you?*
¿qué tiempo hace?   (8 C)   *what's the weather like?*
¡qué va!   (7 B)   *not at all!*
(no te) queda bien   (9 A)   *it doesn't suit you*
quedar   (7 A)   *to (arrange to) meet*
quedar bien/mal   (9 A)   *to look good/bad*
quedarse   (7 D)   *to stay*
(me) quedé   (8 B)   *I stayed*
quejarse   (6 D)   *to complain*
quería (querer)   (9 D)   *wanted*
querido/-a   (8 D)   *dear*
queso (el)   (0 B)   *cheese*
quien   (0 B)   *who*
quiero (querer)   (0 B)   *I want*
química (la)   (4 C)   *chemistry*
quince   (0 B)   *fifteen*
quinientos/-as   (2 C)   *five hundred*
quinto/-a   (4 A)   *fifth*
quiosco (el)   (6 A)   *newspaper stand*

R

rabo (el)   (6 C)   *tail*
radio (la)   (1 C)   *radio*
radio-taxi (el)   (1 C)   *taxi*
ramo (el)   (0 B)   *bunch*
rápidamente   (3 A)   *quickly*
rápido   (3 D)   *fast*
raqueta (la)   (2 B)   *racket*
(a) rayas   (9 Auto)   *striped*
razón (tener razón)   (6 B)   *to be right*
realizar   (8 D)   *to do*
rebajado/-a   (9 Anex)   *reduced*
rebaño (el)   (10 D)   *herd, flock*
recado (el)   (7 A)   *message*
recepcionista (el, la)   (1 A)   *receptionist*
receta (la)   (5 C)   *recipe*
rechazar   (7 A)   *to reject*
recibidor (el)   (4 A)   *hall*
recibir   (3 B)   *to receive, to greet*
recoger   (4 Anex)   *to tidy up*
recorrer   (6 D)   *to travel along*
recreo (el)   (4 C)   *playtime, break*
recuadro (el)   (10 B)   *box*
recuerdo (el)   (8 Auto)   *memory*
red (la)   (6 D)   *network*
reflejar   (9 D)   *to reflect*
reflexivo/-a   (3 Auto)   *reflexive*
refresco (el)   (4 Auto)   *soft drink*
regalo (el)   (2 D)   *present, gift*
región (la)   (0 B)   *region*
regla de acentuación (la)   (10 C)   *rule for accents*

Reino Unido (el)   (1 A)   *United Kingdom*
reír   (7 Auto)   *to laugh*
relacionar   (10 C)   *to match up*
relajante   (9 Anex)   *relaxing*
relajarse   (9 D)   *to relax*
religioso/-a   (10 D)   *religious*
reloj (el)   (2 B)   *clock, watch*
reparte (repartir)   (5 C)   *divide*
repasar   (10 Anex)   *to revise*
(de) repente   (10 B)   *suddenly*
repetir   (0 B)   *to repeat*
representar   (8 C)   *to represent, to depict*
república (la)   (9 D)   *republic*
reserva (la)   (4 C)   *booking*
reservar   (4 Auto)   *to book*
responsable (el, la)   (1 A)   *person in charge*
responsable de administración (el, la)   (1 A)   *person in charge of administration*
respuesta (la)   (10 D)   *answer*
restaurante (el)   (0 B)   *restaurant*
restos (los)   (8 D)   *remains*
reunión (la)   (2 D)   *meeting*
reunirse   (2 D)   *to meet*
revista (la)   (8 Auto)   *magazine*
Reyes Magos (los)   (8 C)   *Three Wise Men*
rico/-a   (9 C)   *rich*
riesgo (el)   (5 B)   *risk*
río (el)   (6 D)   *river*
ritmo (el)   (3 A)   *rhythm*
rizado/-a   (7 C)   *curly, frizzy*
roca (la)   (10 D)   *rock*
rodaja (la)   (5 C)   *slice*
rodar   (6 C)   *to go round*
rodeado/-a   (6 D)   *surrounded*
rodilla (la)   (10 A)   *knee*
rojo/-a   (0 B)   *reduced*
¡(qué) rollo!   (9 Anex)   *what a drag!*
románico/-a   (6 D)   *Romanesque*
romántico/-a   (5 B)   *romantic*
ropa (la)   (4 A)   *clothes*
rosa   (9 B)   *pink*
rosa (la)   (0 B)   *rose*
rubio/-a   (7 C)   *blond(e)*
rueda (la)   (6 C)   *wheel*
ruido (el)   (6 B)   *noise*
ruidoso/-a   (6 C)   *noisy*
rutina (la)   (3 Auto)   *routine*

S

sábado (el)   (3 B)   *Saturday*
sabes (saber)   (1 Auto)   *you know*
sabor (el)   (5 D)   *flavour, taste*
sabroso/-a   (5 D)   *tasty*
salchicha (la)   (5 A)   *sausage*
salga (usted) (salir)   (6 B)   *go out, leave*
salí (salir)   (8 B)   *I went out*

Glossary

salíamos (salir)   (10 B)   *we went out*
salida (la)   (2 Auto)   *exit*
salinas (las)   (8 Auto)   *saltpans*
salió (salir)   (8 B)   *went out, left*
salir   (3 B)   *to go out, to leave*
salir (de)   (3 D)   *to go out, to leave*
salir con los amigos   (7)   *to go out with friends*
salir de copas   (5 B)   *to go out for a drink*
salón (el)   (4 A)   *living room*
salud (la)   (6 Anex)   *health*
saludar   (1 Auto)   *to greet, to say hello*
saludo (el)   (1)   *greeting*
salvadoreño/-a (el, la)   (0 C)   *Salvadorian*
san   (6 C)   *saint*
sangre (la)   (7 Auto)   *blood*
sanitario/-a   (8 A)   *first-aid, sanitary*
sano/-a   (5 C)   *healthy*
se   (0 B)   *oneself, myself, yourself, himself, herself, itself, yourselves, themselves*
se acuestan (acostarse)   (3 A)   *they go to bed*
se afeita (afeitarse)   (3 A)   *shaves*
se baña (bañarse)   (3 A)   *has a bath*
se ducha (ducharse)   (3 A)   *has a shower*
se ha puesto   (9 B)   *has put on*
se levanta (levantarse)   (3 A)   *gets up*
se llama (llamarse)   (1 B)   *is called*
se pone   (7 A)   *comes to the phone*
¿se puede? (poder)   (6 B)   *may I?*
sea (ser)   (10 Anex)   *be*
seco/-a   (8 Auto)   *dry*
secretario/-a (el, la)   (1 B)   *secretary*
sede (la)   (8 D)   *venue*
según   (10 C)   *according to*
segundo (el)   (2 C)   *second*
segundo plato (el)   (5 A)   *second course*
segundo/-a   (1C)   *second*
seguro/-a   (9 C)   *safe*
seis   (1 C)   *six*
seiscientos/-as   (2 C)   *six hundred*
seleccionar   (8 D)   *to select*
sello (el)   (8 A)   *stamp*
semana (la)   (2 C)   *week*
Semana Santa (la)   (8 C)   *Holy Week*
sencillo/-a   (4 C)   *single*
sentir   (7 A)   *to feel*
sentirse bien/mal   (10 A)   *to feel good/bad*
señor/a (el, la)   (1 D)   *Mr/Mrs*
señorito/-a (el, la)   (4 A)   *Miss*
separar(se)   (10 Auto)   *to separate*
septiembre   (8 C)   *September*
séptimo/-a   (4 A)   *seventh*
¿sería tan amable de...?   (4 A)   *would you be so kind as to ...?*
serio/-a   (7 C)   *serious*
servicio (el)   (6 A)   *service*
servilleta (la)   (4 Auto)   *serviette*
sesenta   (2 A)   *sixty*
sesenta y siete   (2 C)   *sixty-seven*

setenta   (2 C)   *seventy*
setenta y nueve   (2 A)   *seventy-nine*
sexto/-a   (4 A)   *sixth*
si   (3 B)   *if*
sí   (0 B)   *yes*
siempre   (7 D)   *always*
siéntate (sentarse)   (6 B)   *sit down*
siéntese (sentarse)   (6 B)   *sit down*
lo siento (sentir)   (7 A)   *I'm sorry*
siete   (1 C)   *seven*
siga (usted) (seguir)   (6 B)   *carry on, continue*
siglo (el)   (2 C)   *century*
sigue (seguir)   (5 C)   *follow*
siguiente   (8 C)   *following*
silla (la)   (2 A)   *chair*
sillón (el)   (2 B)   *armchair*
similar   (5 B)   *similar*
simpático/-a   (1 Anex)   *nice*
sin   (0 B)   *without*
sin embargo   (9 D)   *however*
sincero/-a   (7 C)   *sincere*
sitio (el)   (5 B)   *place*
(estar) situado/-a   (6 D)   *to be situated*
situarse   (6 D)   *to be situated*
sobre   (7 B)   *on*
sobre todo   (3 C)   *especially*
sofá (el)   (2 B)   *sofa*
sol (el)   (0 B)   *sun*
solamente   (2 D)   *only*
solo   (6 C)   *only*
solo/-a   (7 D)   *alone*
soltero/-a   (1 B)   *single, unmarried*
sombrero (el)   (9 Auto)   *hat*
son (ser)   (1 B)   *are*
son las...   (2 C)   *it's ...*
sonar   (10 Auto)   *to be, to sound*
sonido (el)   (3 B)   *sound*
sonreír   (7 Auto)   *to smile*
sopa (la)   (3 C)   *soup*
sorpresa (la)   (9 Auto)   *surprise*
sótano (el)   (4 D)   *basement*
soy (ser)   (0 A)   *I am*
su   (1 A)   *his, her, your, their*
suave   (8 D)   *gentle*
subir   (8 C)   *to go up, to rise*
suciedad (la)   (6 D)   *dirt*
sucio/-a   (9 B)   *dirty*
sudafricano/-a (el, la)   (1 A)   *South African*
Sudamérica   (8 C)   *South America*
Suecia   (1 A)   *Sweden*
sueco/-a (el, la)   (1 A)   *Swede*
suelo (el)   (6 Anex)   *ground, floor*
sueño (el)   (3 Auto)   *sleep*
suficiente   (7 D)   *enough*
sufrimiento (el)   (9 D)   *suffering*
sujeto (el)   (10 Anex)   *subject*
superar   (3 Auto)   *to do/have more than*
superiores (los)   (1 D)   *superiors*

supermercado (el)   (3 B)   *supermarket*
sur (el)   (4 C)   *south*
sus   (1 A)   *his, her, your, their*

T

tabaco (el)   (8 A)   *tobacco*
tacaño/-a   (7 C)   *stingy, mean*
talla (la)   (9 A)   *size*
tallar   (10 D)   *to cut down*
también   (1 B)   *also*
tampoco   (5 B)   *either*
tanto... como   (3 Auto)   *both ... and ...*
tanto/-a   (8 D)   *so much/many*
taquilla (la)   (6 A)   *ticket office*
taquillero/-a (el, la)   (6 A)   *ticket clerk*
tarde (la)   (0 A)   *afternoon, evening*
tarde   (3 A)   *late*
(por la) tarde   (1 D)   *in the afternoon, evening*
tarjeta (la)   (1 A)   *card*
tarjeta de crédito (la)   (4 C)   *credit card*
taxista (el, la)   (1 B)   *taxi driver*
taza (la)   (4 B)   *cup*
té (el)   (3 C)   *tea*
teatro (el)   (5 B)   *theatre*
técnico/-a (el, la)   (3 B)   *engineer, technician*
tejado (el)   (4 D)   *roof*
tejido (el)   (10 D)   *cloth*
tele (la)   (3 A)   *telly*
teléfono (el)   (1 C)   *telephone*
¡(al) teléfono!   (7 B)   *speaking!*
televisión (la)   (2 A)   *television*
temperatura (la)   (8 C)   *temperature*
temporada (la)   (10 D)   *season*
temprano   (3 A)   *early*
tender   (4 C)   *to hang out*
tenedor (el)   (5 A)   *fork*
tenemos (tener)   (1 B)   *we have*
tener mala cara   (10 A)   *not to look well*
tener que   (1 C)   *to have to*
teníamos (tener)   (10 B)   *we had*
tenis (el)   (2 B)   *tennis*
tenista (el, la)   (8 D)   *tennis player*
tercero/-a   (1 C)   *third*
terminó (terminar)   (8 B)   *finished*
ternera (la)   (5 A)   *veal, beef*
terraza (la)   (4 A)   *terrace*
tiempo (el)   (5 Auto)   *time*
tienda (la)   (2 C)   *shop*
tienda de campaña (la)   (10 D)   *tent*
tienen (tener)   (1 B)   *have*
tierra (la)   (4 D)   *land*
tilde (la)   (10 C)   *accent*
tinto/-a   (7 C)   *red*
tío/-a (el, la)   (1 D)   *uncle/aunt*
típico/-a   (3 D)   *typical*
tipo (el)   (4 C)   *type*
toalla (la)   (4 B)   *towel*

tocar la lotería   (10 B)   *to win the lottery*
tocar un instrumento   (7 D)   *to play an instrument*
todo recto   (8 A)   *straight on*
todos/-as   (2 D)   *all*
tomar   (3 A)   *to have*
tomar nota   (6 C)   *to take note*
(no) tome (tomar)   (10 A)   *(don't) take*
torero/-a (el, la)   (1 Anex)   *bullfighter*
torneo (el)   (8 D)   *tournament*
toros (los)   (5 Auto)   *bullfighting*
tortilla de patatas (la)   (5 A)   *potato omelette*
tos (la)   (10 Anex)   *cough*
tostada (la)   (3 C)   *slice of toast*
trabaja (trabajar)   (1 B)   *works*
trabajo (el)   (1 D)   *work*
tradicional   (4 D)   *traditional*
traer   (5 A)   *to bring*
tráfico (el)   (6 Auto)   *traffic*
traje (el)   (9 B)   *suit*
traje regional (el)   (8 C)   *regional costume*
tranquilamente   (6 Auto)   *peacefully*
tranquilidad (la)   (9 D)   *quiet*
tranquilo/-a   (6 C)   *quiet, peaceful*
transporte (el)   (3 D)   *transport*
trasladado/-a   (9 D)   *moved*
trece   (1 C)   *thirteen*
treinta   (2 C)   *thirty*
treinta y cinco   (2 C)   *thirty-five*
treinta y siete   (2 C)   *thirty-seven*
treinta y uno   (2 C)   *thirty-one*
tren (el)   (3 B)   *train*
tres   (1 C)   *three*
trescientos veintitrés   (2 C)   *three hundred and twenty-three*
trescientos/-as   (2 C)   *three hundred*
tropa (la)   (6 D)   *troops*
tropical   (4 C)   *tropical*
trueno (el)   (10 D)   *clap of thunder*
tu   (1 C)   *your*
tú   (0 A)   *you*
tuerce (torcer)   (6 B)   *turn*
tumba (la)   (8 C)   *tomb, grave*
tumbona (la)   (7 B)   *sun lounger, beach chair*
turco/-a (el, la)   (1 A)   *Turk*
turista (el, la)   (1 Anex)   *tourist*
turístico/-a   (6 D)   *touristy*
turno (el)   (3 B)   *shift*
Turquía   (1 A)   *Turkey*
tus   (1 B)   *your*

U

último/-a   (3 D)   *last*
un poco   (3 A)   *a little*
una   (1 A)   *a/an, one*
único/-a   (8 Auto)   *unique*
universidad (la)   (1 B)   *university*

uno   (1 C)   *one*
uña (la)   (7 Anex)   *nail*
urbanización (la)   (4 B)   *housing development*
uruguayo/-a (el, la)   (0 C)   *Uruguayan*
usamos (usar)   (1 D)   *we use*
usted, ustedes   (1 B)   *you*
utilizamos (utilizar)   (1 D)   *we use*
uva (la)   (5 C)   *grape*

V

vaca (la)   (0 B)   *cow*
(de) vacaciones   (8)   *on holiday*
vacaciones (las)   (3 A)   *holidays*
vainilla (la)   (5 A)   *vanilla*
vale   (0 B)   *OK*
valenciano/-a (el, la)   (0 C)   *Valencian*
vamos a (ir a)   (0 A)   *we're going to*
al vapor   (3 C)   *steamed*
vaqueros (los)   (9 A)   *jeans*
variable   (8 Anex)   *changeable*
variedad (la)   (5 C)   *variety*
vasco/-a   (0 C)   *Basque*
vaso (el)   (4 Auto)   *glass*
váyase (irse)   (6 Anex)   *go, leave*
(a) veces   (3 A)   *sometimes*
vecino/-a   (3 Anex)   *neighbour*
vegetal   (10 D)   *made from plants*
vegetariano/-a   (1 B)   *vegetarian*
veinte   (1 C)   *twenty*
veinticinco   (2 C)   *twenty-five*
veinticuatro   (2 C)   *twenty-four*
veintidós   (2 C)   *twenty-two*
veintitrés   (2 C)   *twenty-three*
veintiuno   (2 C)   *twenty-one*
vela (la)   (8 C)   *candle*
ven (venir)   (0 B)   *come*
vendedor/a (el, la)   (1 B)   *salesman/woman*
vender   (3 B)   *to sell*
venezolano/-a (el, la)   (0 C)   *Venezuelan*
venga (usted) (venir)   (6 B)   *come*
venga, vale   (7 A)   *all right then*
ventana (la)   (1 Anex)   *window*
ver   (0 A)   *to see*
(a) ver...   (0 A)   *let's see*
vera (la)   (5 C)   *edge*
verano (el)   (4 C)   *summer*
verbo (el)   (3 Auto)   *verb*
(la) verdad   (6 B)   *really, honestly*
verdad (la)   (6 B)   *truth*
verde   (3 C)   *green*
verdura (la)   (1 B)   *vegetable*
verso (el)   (7 C)   *verse*
vestido (el)   (9 B)   *dress*
vestir bien   (9 B)   *to dress well*
vestir(se)   (3 Auto)   *to get dressed*
vez (la)   (2 D)   *time*
vía de comunicación (la)   (10 D)   *road*

viajábamos (viajar)   (10 B)   *we travelled*
viajaban (viajar)   (10 B)   *travelled*
viajar   (5 B)   *to travel*
viaje (el)   (9 C)   *journey*
viajero/-a (el, la)   (8 D)   *traveller*
vida (la)   (5 C)   *life*
vida social (la)   (10 B)   *social life*
videojuego (el)   (5 B)   *video game*
viejo/-a   (6 Auto)   *old*
viento (el)   (8 C)   *wind*
viernes (el)   (3 B)   *Friday*
vinagre (el)   (5 Auto)   *vinegar*
vino (el)   (0 B)   *wine*
visa (la)   (5 C)   *visa*
visita (la)   (4 C)   *visit*
visitante (el, la)   (6 D)   *visitor*
vista (la)   (10 D)   *view*
vitrocerámica (la)   (4 B)   *ceramic hob*
viven (vivir)   (1 B)   *live*
vives (vivir)   (1 B)   *you live*
vivienda (la)   (4 D)   *home*
vivir de   (10 D)   *to live from*
vivo (vivir)   (1 A)   *I live*
vocabulario (el)   (1 C)   *vocabulary*
vocal (la)   (10 C)   *vowel*
volar   (8 B)   *to fly*
volver   (3 A)   *to return*
vos sos   (1 D)   *you are*
vosotros/-as   (1 B)   *you*
de vuelta   (8 B)   *back*
vuelta (la)   (8 B)   *return*
vuestro/-a   (2 B)   *your*

W

wolframio (el)   (0 B)   *wolfram*

Y

y ...   (2 C)   *and ...*
yo   (0 A)   *I*
yogur (el)   (0 B)   *yoghurt*

Z

zapatillas (las)   (9 B)   *trainers*
zapato (el)   (0 B)   *show*
zona (la)   (6 D)   *zone, area*
zoo (el)   (0 B)   *zoo*
zumo (el)   (3 C)   *juice*

Primera edición, 2015

Produce: SGEL – Educación
Avda. Valdelaparra, 29
28108 Alcobendas (Madrid)

Coordinación editorial: Jaime Corpas
Edición: Yolanda Prieto
Traducción al inglés: Andrew Hastings
Corrección: Belén Cabal
Diseño de cubierta e interior: Verónica Sosa
Fotografías de cubierta: Shutterstock
Maquetación: Leticia Delgado

Ilustraciones: Pablo Torrecilla
excepto: Maravillas Delgado (Unidad 2, pág. 28 marcadores de lugar. Unidad 5, pág. 60. Unidad 8, pág. 86. Apéndice gramatical unidad 2, pág. 122 marcadores de lugar), Shutterstock (Unidad 2, pág. 31. Unidad 3, pág. 41. Unidad 5, pág. 62 Restaurante La Estancia y Vida Natural. Unidad 9, pág. 97. Unidad 10, pág. 113 imágenes de fondo de página web de ejercicio 3 e imagen de ejercicio 5. Referencia gramatical, unidad 8, pág. 134 imágenes de las estaciones del año) y Thinkstock (Unidad 5, pág. 62 Restaurante peruano La llama y Restaurante la Alpujarra. Unidad 9, pág. 98 colores).

Cartografía: SGEL (páginas 12, 13, 92)

Fotografías: **BIRGITTA FRÖHLICH:** Unidad 6: pág. 67. **CORDON PRESS:** Unidad 1: pág. 15; pág. 23 fotos 1 y 4. **Unidad 2:** pág. 33 foto 3. **Unidad 6:** pág. 72. **Unidad 9:** pág. 103 todas las fotos excepto fotos 2 y 5. **DREAMSTIME:** Unidad 1: pág. 16 foto A; pág. 22; pág. 80 ejercicio 3 foto D. **HÉCTOR DE PAZ:** Unidad 1: pág. 16 foto D. **Unidad 3:** pág. 40 fotos desayunos A-H. **Unidad 4:** pág. 47; pág. 48 fotos cocina y baño. **LATINSTOCK:** Unidad 4: pág. 48 foto salón. **THINKSTOCK:** Unidad 1: pág. 17 foto 3. **Unidad 2:** pág. 29 ejercicio 6. **Unidad 3:** pág. 41 carta Cafetería Teide. **Unidad 4:** pág. 51; pág. 52 fotos A, B y C. **Unidad 5:** pág. 59 foto Olga; pág. 61; pág. 63 mapas. **Unidad 6:** pág. 73. **Unidad 7:** pág. 77; pág. 82. **Unidad 8:** pág. 90 fotos a, b, d y e; pág. 91 foto superior; pág. 92. **Unidad 9:** pág. 102. **Unidad 10:** pág. 106 fotos de Ana, Victoria y Carmen de ejercicio 3; pág. 109; pág. 110 fotos 1, 2, 4 y 6; pág. 112; pág. 113 todas las fotos del ejercicio 3 excepto foto de cabecera de página web de Pirineos. **THOMAS HOERMANN:** Antes de empezar: pág. 8. **Unidad 1:** pág. 16 fotos A, B y C; pág. 21. **Unidad 2:** pág. 19 foto del ejemplo. **Unidad 3:** pág. 39 foto centro; pág. 41 ejercicio 5. **Unidad 9:** pág. 95; **Unidad 10:** pág. 107. **SHUTTERSTOCK:** Resto de fotografías, de las cuales, solo para uso de contenido editorial: **Antes de empezar:** pág. 11 foto B (Cenk Ertekin / Shutterstock.com), foto D (criben / Shutterstock.com), foto J (Kobby Dagan / Shutterstock.com) y foto N (Igor Bulgarin / Shutterstock.com); pág. 14 foto 1 (Luciano Mortula / Shutterstock.com) y foto 5 (Ignacio Soto / Shutterstock.com). **Unidad 1:** pág. 23 foto 2 (Featureflash / Shutterstock.com), foto 3 (Maxisport / Shutterstock.com), foto 5 (Joe Seer / Shutterstock.com), foto 6 (s_bukley / Shutterstock.com), foto 7 (Helga Esteb / Shutterstock.com) y foto 8 (s_bukley / Shutterstock.com). **Unidad 2:** pág. 33 foto 1 (Featureflash / Shutterstock.com), pág. 34 (Toniflap Shutterstock.com). **Unidad 3:** pág. 42 (Iakov Filimonov / Shutterstock.com). **Unidad 5:** pág. 57 (Tupungato / Shutterstock.com). **Unidad 6:** pág. 65 (Tupungato / Shutterstock.com); pág. 67 ejercicio 7 (Jorg Hackemann / Shutterstock.com); pág. 70 (Kushch Dmitry / Shutterstock.com); pág. 71 foto autobús (Tupungato / Shutterstock.com) y foto calle (Deymos / Shutterstock.com). **Unidad 7:** pág. 80 ejercicio 4, Salma Hayek (Featureflash / Shutterstock.com) y Antonio Banderas (Featureflash / Shutterstock.com). **Unidad 8:** pág. 91 foto inferior (Naaman Abreu / Shutterstock.com). **Unidad 9:** pág. 103 foto 5 (PSHAW-PHOTO / Shutterstock.com).

Audio: Crab Ediciones Musicales y Nordqvist Productions España SL

ISBN: 978-84-9778-900-4

Depósito legal: M-30350-2015
Printed in Spain – Impreso en España

Impresión: Gómez Aparicio Grupo Gráfico